Dan McKanan/Heinrich Detering (Hg.)

Von Emerson zu Thomas Mann

erschienen in der Reihe der Universitätsdrucke
im Universitätsverlag Göttingen 2017

Dan McKanan/Heinrich Detering
(Hg.)

Von Emerson zu Thomas Mann

Beiträge zur Geschichte
unitarischen Denkens
in Amerika und Deutschland

(Göttinger Symposion 2012)

Universitätsverlag Göttingen
2017

Bibliographische Information der Deutschen Nationalbibliothek

Die Deutsche Nationalbibliothek verzeichnet diese Publikation in der Deutschen Nationalbibliographie; detaillierte bibliographische Daten sind im Internet über <http://dnb.dnb.de> abrufbar.

Anschriften der Herausgeber

Dan McKanan
 R. W. Emerson Unitarian Universalist Association
Senior Lecturer
Harvard Divinity School
45 Francis Avenue
Cambridge, Massachusetts 02138

Heinrich Detering
Professor für Neuere deutsche Literatur und Vergleichende Literaturwissenschaft
Universität Göttingen
Seminar für Deutsche Philologie
Käte-Hamburger-Weg 3
D-37073 Göttingen

Satz und Layout: Maren Ermisch; Jörg Last
Titelabbildung: Portal der First Unitarian Church of Los Angeles. (c) Douglas S. Santo

© 2017 Universitätsverlag Göttingen
https://univerlag.uni-goettingen.de
ISBN: 978-3-86395-314-0
DOI: https://doi.org/10.17875/gup2017-1025

Inhalt

Vorwort

Es waren gleich mehrere Zusammentreffen, die zu diesem Band und der in ihm dokumentierten Tagung im Oktober 2012 führten. 2011 erschien in Boston, unter dem Titel *Prophetic Encounters*, eine umfassende Geschichte der Beziehungen zwischen religiösen Traditionen und der amerikanischen Linken, die Dan McKanan verfasst hatte, Inhaber der Emerson-Dozentur an der Divinity School der Universität Harvard, die eingerichtet wurde, um die historische Verbindung zwischen der Universität und der Tradition der *Unitarian Universalists* zu stärken. 2012 folgte im Verlag S. Fischer in Frankfurt Heinrich Deterings Studie über *Thomas Manns amerikanische Religion*, in der es um *Theologie, Politik und Literatur im kalifornischen Exil* ging und um Thomas Manns Beziehungen zur Unitarischen Kirche im Zeichen eines dezidiert linksliberalen Kampfes gegen alte und neue Erscheinungsformen des Faschismus. Thomas Manns Enkel Frido Mann steuerte zu diesem Band einen Begleitessay bei, in dem er seine Erfahrungen mit der Religion in seiner Familie und namentlich seine Überlegungen zu Thomas Mann und den Unitariern auf sehr persönliche Weise reflektierte. Eric Hausman, heute Pastor der *First Parish Church United* in Westford (Massachusetts), stellte die Verbindung zwischen diesen Autoren her und regte an, beide Bücher und die öffentliche Diskussion darüber zum Anlass einer Tagung zu unitarischen Traditionen im amerikanischen und europäischen Denken und Schreiben der Moderne zu nehmen. Hinzu kamen schließlich, koordiniert von dem deutschen Unitarier Jörg Last, Vertreter verschiedener unitarischer Gemeinden und Gruppen aus Deutschland.

Es wurde eine ebenso lebhafte und lehrreiche wie herzliche Veranstaltung. Inspiriert von einem unitarischen Geistlichen, einem Theologen und Historiker aus Harvard und einem Göttinger Literaturwissenschaftler, der selbst bekennender Katholik ist, wurde sie zu einem intensiven Gespräch über die Grenzen von Konfessionen und Institutionen hinweg – und zur Erkundung der Grenzgebiete zwischen liberaler Theologie, Politik und Literatur durchaus im Sinne Thomas Manns, unter dessen intellektuellem Patronat sie stattfand. Dabei verstand sich in jedem Augenblick, dass hier sehr unterschiedliche Bekenntnisse, Meinungen und Perspektiven aufeinandertreffen würden (und sollten). Die Beiträge, die nun fünf Jahre später in diesem Band versammelt sind, wurden sämtlich von ihren Verfassern eingehend überarbeitet, in mehreren Fällen auch erweitert. Allen Mitwirkenden danken die Herausgeber herzlich. Besonderer Dank gebührt Jörg Last in Karlsruhe und Maren Ermisch in Göttingen, die alle Korrektur- und Lektoratsarbeiten übernommen haben und ohne deren hilfreiches Engagement weder die Tagung noch dieses Buch zustande gekommen wären.

Dan McKanan / Heinrich Detering

„Multitude" und „être collectif": Zu einer poetologischen Denkfigur bei Goethe, Emerson und Whitman

Kai Sina

So intensiv sich die Forschung mit der Frage nach der Rezeption Walt Whitmans in der deutschsprachigen Literatur und Kultur befasst hat (weiterhin einschlägig ist hier vor allem die wegweisende Studie von Walter Grünzweig),[1] so unzusammenhängend und vor allem nur oberflächlich ist bislang in umgekehrter Blickrichtung die Rezeption der deutschsprachigen Dichtung und Philosophie durch Whitman untersucht worden. Wenngleich Floyd Stovall in seiner bereits 1974 veröffentlichten Studie mit Nachdruck auf den hohen Stellenwert von Herder und Hegel, Goethe und Heine für Whitman hingewiesen hat – eine systematische und differenzierte Untersuchung dieser Einflussbeziehungen muss bis heute als Desiderat gelten.[2] Um dem zumindest punktuell entgegenzuwirken, will ich den Blick auf jenen herausragenden Protagonisten des deutschen Geisteslebens richten, dessen Werk Whitman nicht nur nachweislich kannte, sondern aus dessen Ideen sich zudem

---

* Es handelt sich hierbei um eine gekürzte, durchgesehene und überarbeitete Fassung eines Aufsatzes, der 2013 in *Comparatio. Zeitschrift für vergleichende Literaturwissenschaft* erschienen ist. In meiner derzeit entstehenden Habilitationsschrift *Eines aus Vielem. Genese einer kollektiven Poetik der Moderne* werden die hier aufgegriffenen Thesen und Probleme noch eingehender reflektiert sowie literatur- und ideengeschichtlich kontextualisiert.

[1] Walter Grünzweig: *Walt Whitmann* [sic!]. *Die deutschsprachige Rezeption als interkulturelles Phänomen*. München 1991.

[2] Floyd Stovall: *The Foreground of „Leaves of Grass"*. Charlottesville 1974, darin die Abschnitte S. 129-137 (zu Goethe), S. 184-204 (zu den deutschen Philosophen) und S. 222-230 (zu Heine).

grundlegende Folgen für die poetologische Konzeption der literarhistorisch außer-
ordentlich wirkmächtigen Gedichtsammlung *Leaves of Grass* einschließlich des ihr
eingeschriebenen Konzepts von Autorschaft ergaben – nämlich Goethe.

Die Frage nach Whitmans Auseinandersetzung mit Goethe, nach einem konkreten Einfluss auf sein Denken und seine Dichtung, ist auf den ersten Blick alles
andere als naheliegend. Befragt nach seiner Haltung gegenüber Goethe, äußerte
Whitman immer wieder grundlegende Skepsis, ja auch unverhohlene Ablehnung.
Unmissverständlich zum Ausdruck kommt dies in einer nachgelassenen Notiz vom
18. Februar 1856:

> There is one point of the Goethean philosophy which without appeal and
> forever incapacitates it from suiting America or the forthcoming years; – It
> is the cardinal Goethean doctrine too, that the artist or poet is to live in art
> or poetry alone apart from affairs, politics, facts, vulgar life, persons, and
> things – seeking his „high ideal.“[3]

Nach einigen weiteren, ähnlich kritischen Anmerkungen zu Goethe und dessen
Kunst- und Literaturauffassung, deren (angeblich) einsinniger Individualismus in
einem unaufhebbaren Widerspruch zur geistigen Verfassung der ‚neuen Welt‘ gesehen wird, verhängt Whitman vier Tage später, am 22. Februar, sein vermeintlich
letztgültiges Urteil. Aus seiner Formulierung spricht deutlich das selbstbewusste
Distinktions- und Emanzipationsbestreben des jungen Amerika: „To the genius of
America he [Goethe; K.S.] is neither dear nor the reverse of dear. He passes with
the general crowd upon whom the American glance descends with indifference. —
Our road is our own.“[4]

Die in Gänze nicht mehr überschaubare Whitman-Forschung hat sich mit dieser Zurückweisung, soweit ich sehe, bislang zufrieden gegeben – und dies hat auf
den ersten Blick durchaus seine Berechtigung. Denn in der Tat lassen sich die Vorstellungen einer ausschließlich auf die Kunst und den Künstler bezogenen Lebens-

---

[3] Walt Whitman: *Notebooks and Unpublished Prose Manuscripts*. Vol. 5: *Notes*. Hg. von Edward F. Grier.
New York 1984, S. 1826.
[4] Ebd., S. 1828. Vgl. zu Whitmans Goethe-Bild auch eine späte Gesprächsnotiz, in der Whitman zwar
das Bildungskonzept Goethes durchaus bewundernd anerkennt, um es jedoch gleich darauf wegen
seiner exklusiven Ausrichtung auf das ‚Ich‘ zu verwerfen: „W[hitman] himself spoke of Goethe. [...]
‚Goethe impresses me as above all to stand for essential literature, art, life – to argue the importance
of centering life in self – in perfect persons – perfect you, me: to force the real into the abstract ideal:
to make himself, Goethe, the supremest example of personal identity: everything making for it: in us,
in Goethe: every man repeating the same experience.‘ Goethe would ask: ‚What are your forty, fifty,
hundred, social, national, phantasms? This only is real – this person.‘ [...] ‚Goethe seemed to look
upon personal development as an end in itself: the old teachers looked for collective results. I do not
mean that Goethe was immoral, bad – only that he laid stress upon another point. Goethe was for
beauty, erudition, knowledge – first of all for culture. I doubt if another imaginist of the first order in
all literature, all history, so deeply put his stamp there. Goethe asked ‚What do you make out of your
patriotism, army, state, people?‘ It was all nothing to him‘“ (Horace Traubel: *With Walt Whitman in
Camden*. Vol. 3: *November 1, 1888 – January 20, 1889*. New York 1914, S. 159f.).

form, die Goethe hier in entstellender Vereinfachung zugeschrieben wird, mit Whitmans Poetik zunächst kaum vereinbaren; für den ‚wahren' Künstler gelte schließlich vielmehr, wie Whitman im Jahr 1888 in einem Vorwort zu einer erneuten Auflage der *Leaves* betont, „what Herder taught to the young Goethe, that really great poetry is always (like the Homeric or Biblical canticles) the result of a national spirit, and not the privilege of a polish'd and select few".[5] Folgt man darüber hinaus der bisweilen grellen Stilisierung Whitmans zum „nationale[n] Kosmos",[6] dessen herausgehobene Stellung sich ausschließlich im Kontext der amerikanischen Kultur in ihrem Streben nach Unabhängigkeit von europäischen Vorbildern entfaltet, so liegt es zunächst denkbar fern, ausgerechnet im fernen ‚Ilm-Athen' nach möglichen Einflüssen, vielleicht gar Wurzeln seiner Poetik zu suchen.

Nun ist Whitmans Bemerkung, er habe zwar eine Meinung zu Goethe, wisse aber so gut wie nichts über ihn,[7] im Lichte der Forschung entschieden zurückzuweisen. Schon Stovall stellt hierzu fest, Whitmans Interesse an Goethe habe zwischen 1846 und seinem Tod im Jahr 1892 eigentlich zu keinem Zeitpunkt wirklich nachgelassen.[8] Der Beginn dieser fast vierzigjährigen Beschäftigung mit Goethe lässt sich für Stovall dergestalt klar datieren, weil Whitman in diesem und im darauf folgenden Jahr die von Parke Godwin übersetzte *Autobiography of Goethe. Truth and Poetry: From my Life* (Band 1 und 2 erschienen 1846, Band 3 und 4 erschienen 1847) las und ihr sogar zwei kurze und begeisterte Besprechungen im *Brooklyn Daily Eagle* widmete („the simple easy truthful narrative of the existence and experience of a man of genius").[9] Außerdem befasste sich Whitman nachweislich – wahrscheinlich im Jahr 1857, möglicherweise aber auch schon etwas früher – mit Thomas Carlyles *Critical and Miscellaneous Essays* (erstmals publiziert 1838-39, dann erneut in einem Einzelband im Jahr 1845), von denen sich allein sechs Stücke mit Goethe befassen.[10] Und nicht zuletzt bestätigen zahlreiche Notizen auf unterschiedlichen Papieren im handschriftlichen Nachlass Whitmans fortwährendes Interesse an Goethe.[11]

Aber so langanhaltend und eingehend sich die Auseinandersetzung Whitmans mit Goethe aus philologischer Perspektive darstellt – in letzter Konsequenz lief sie scheinbar bloß auf jene eingangs umrissene harsche und zudem oberflächliche

---

[5] Walt Whitman: *„Leaves of Grass" and Other Writings*. Hg. von Michael Moon. New York/London 2002, S. 484.
[6] So das seither vielfach fortgeschriebene Label dieses Autors; vgl. beispielhaft Rolf Geisler: [Art.] *Whitman, Leaves of Grass*. In: *Kindlers Neues Literaturlexikon*. Hg. von Walter Jens. München 1998, Bd. 17, S. 611ff., hier S. 612.
[7] Das entsprechende Zitat findet sich im oben angegebenen Gespräch mit Traubel: „W[hitman] stopped and laughed. ‚So you see I have an opinion while I confess I know nothing about Goethe.'" (Traubel: *With Walt Whitman in Camden*, S. 160).
[8] Vgl. Stovall: *The Foreground of „Leaves of Grass"*, S. 129-137, hier S. 132.
[9] Beide abgedruckt in *The Uncollected Poetry and Prose of Walt Whitman*. Hg. von Emory Holloway. Garden City, N.Y./Toronto 1921, Bd. 1, S. 132 und S. 139ff., hier S. 140. Die Besprechung des ersten Bandes nimmt in Holloways Edition – mit umfangreicher Erläuterung der Herausgeberin in der Fußnote – nur knapp eine Druckseite in Anspruch, während die Besprechung des zweiten Bandes nur sieben Druckzeilen umfasst.
[10] Stovall: *The Foreground of „Leaves of Grass"*, S. 132.
[11] Ebd., S. 133f.

Abgrenzung hinaus, die auf längere Sicht dazu führte, dass mögliche Beziehungen im Denken und Schreiben von Whitman und Goethe kaum in den Fokus der Forschung geraten sind. Anmerkungen wie die von Stovall, wonach Goethes Autobiografie nicht nur „the conception", sondern möglicherweise auch „the composition" der *Leaves* bestimmt habe,[12] sind eher die Ausnahme.

Dabei hätte schon die betonte Ausdrücklichkeit in Whitmans Abgrenzung aufhorchen lassen können, vielleicht müssen: Warum betont Whitman überhaupt eine so klare Distanz, wenn Goethe doch in einer allgemeinen Masse von Dichtern untergehe, „upon whom the American glance descends with indifference"? Die bloße Artikulation dieses Satzes verfängt sich in einem Selbstwiderspruch. Und damit der Auffälligkeit nicht genug. Richtet man den Blick außerdem auf Whitmans Poetik im engeren Sinne, so lässt sich eine literaturgeschichtlich bedeutsame, von der bisherigen Forschung allerdings nicht angemessen gewürdigte, ja nicht einmal ausdrücklich benannte Überschneidung mit dem dichterischen Selbstverständnis Goethes benennen: Es handelt sich um die Idee vom Autor als einem Medium, in dessen *einer* Stimme sich die Stimmen *vieler* Menschen zum Ausdruck bringen. „[M]ein Lebenswerk ist das eines Kollektivwesens, und dies Werk trägt den Namen Goethe",[13] so bekennt der Weimarer Dichter kurz vor seinem Tod in einem persönlichen Gespräch. Etwas mehr als zwei Jahrzehnte später wird sich Whitman in dem berühmten *Song of Myself* folgendermaßen charakterisieren: „I am large …. I contain multitudes."[14] Hierbei handelt es sich keineswegs – so meine These – um eine nur akzidentelle, punktuelle Kongruenz zweier poetologischer Konzepte. Vielmehr liegt es nahe, von einem konkreten Einfluss Goethes auf Whitman auszugehen, der sich allerdings nicht über eine direkte Lektüre vollzog, sondern über eine vermittelte Rezeption.

Die Essays von Ralph Waldo Emerson las Whitman erstmals im Sommer 1854,[15] und er stellte im Rückblick über diese Lektüre fest, erst durch sie habe er zu sich gefunden: „I was simmering, simmering, simmering; Emerson brought me to a boil."[16] Als mögliche Impulse für die parallel zu diesen Lektüren entstehenden

---

[12] Ebd., S. 129.

[13] Johann Wolfgang Goethe: *Die letzten Jahre. Briefe, Tagebücher und Gespräche von 1823 bis zu Goethes Tod. Teil III: Vom Dornburger Aufenthalt 1828 bis zum Tode.* Hg. von Horst Fleig. Frankfurt a.M. 1993, S. 521f.

[14] Hier zitiert nach der Erstausgabe der *Leaves* von 1855 (Whitman: *Leaves of Grass*, S. 662-751). Künftig werde ich die Quellen- bzw. Versangaben direkt im Fließtext angeben (hier V. 1316).

[15] Den entscheidenden – und von der Forschung grundsätzlich als glaubwürdig erachteten – Hinweis hierauf formulierte John Townsend Trowbridge in seinem Text *Reminiscences of Walt Whitman*. Der ursprünglich im Februar 1902 in der Zeitschrift *The Atlantic Monthly* publizierte Text ist im Internet abrufbar: <http://www.theatlantic.com/past/docs/unbound/poetry/whitman/walt.htm> Die Konstellation Emerson/Whitman ist so eingehend und ausführlich erforscht, dass hier der Verweis auf zwei neuere Publikationen hinreichen möge; einerseits auf John Michael Corrigan: *American Metempsychosis. Emerson, Whitman, and the New Poetry.* New York 2012, andererseits auf Jay Grossmann: *Reconstituting the American Renaissance. Emerson, Whitman, and the Politics of Representation.* Durham/London 2003.

[16] Dieses pointierte Zitat entstammt freilich der Erinnerung von Trowbridge: *Reminiscences of Walt Whitman.*

und ein Jahr später in ihrer Erstfassung publizierten *Leaves* werden in der For-schung unterschiedliche Essays Emersons diskutiert, allen voran *The Poet*.[17] Aber auch Emersons Essaysammlung *Representative Men*, die eine Reihe von Autoren-porträts in Buchform versammelt, wird als eine mögliche Inspirationsquelle ge-nannt,[18] und das letzte Kapitel in diesem Band ist nun wiederum jenem Dichter gewidmet, der das Denken Emersons seinerseits tief und anhaltend geprägt hat, nämlich Goethe.[19] In seinem Essay *Goethe; or, the Writer* vollzieht Emerson eine Umdeutung des von Whitman als individualitätsfixiert verworfenen Kunst- und Persönlichkeitskonzepts Goethes, indem er dem Dichter die gesellschaftlich uner-lässliche Funktion als Allversöhner einer dissoziierten Moderne zuschreibt. In dieser romantisierenden Lesart, so wird im Folgenden zu zeigen sein, wirkt Goe-thes Idee auf Whitmans Poetik auf ebenso vermittelte wie grundlegende Weise ein.

Aber es geht es mir nicht allein um den Nachweis, dass ein wichtiger Aspekt in Whitmans Poetik auf einen Einfluss Goethes zurückzuführen ist. Über diese bloß werkgenetische und daher recht eng eingestellte Optik der Einflussforschung hin-aus will ich eine Interpretation versuchen, die auf folgende zwei Fragen Antworten zu geben sucht: 1.) Wenn sich tatsächlich ein über Emerson vermittelter Einfluss Goethes auf Whitmans Poetik nachweisen lässt – warum negiert er diese Bezogen-heit in seinen poetologischen Selbstaussagen so vehement? Und was sagt dies 2.) über das Konzept seiner vermeintlich autochthonen Nationalpoesie aus, die ge-meinhin als Grundstein einer originär amerikanischen modernen Dichtung angese-hen wird? Die Durchführung der Untersuchung folgt dabei naheliegender Weise der zu rekonstruierenden Einflussbeziehung – von Goethe ausgehend dem Um-weg über Emerson folgend schließlich zu Whitman.

1   Goethe

In einem längeren Gespräch mit dem Schweizer Numismatiker und Privatgelehr-ten Frédéric Soret, das Goethe am 17. Februar 1832, also nur knapp einen Monat vor seinem Tod, im Haus am Frauenplan führte, bekannte sich dieser zu einer kollektiven Kontur seines Lebenswerks:

---

[17] Vgl. für einen Nachweis zahlreicher Parallelstellen Stovall: *The Foreground of „Leaves of Grass"*, S. 296-304.

[18] Zur besonderen Bedeutung der *Representative Men* für Whitman – wenn auch nicht zu dem darin enthaltenen Goethe-Essay – Joel Porte: *Representative Man. Ralph Waldo Emerson in His Time*. New York 1979, S. 314ff.

[19] Die Bedeutung Goethes für Emerson, die Kon- und Divergenzen ihres Schreibens und Denkens sind eingehend und umfassend erforscht. Vgl. an neueren Publikationen hier nur Peter A. Obu-chowski: *Emerson and Science. Goethe, Monism, and the Search for Unity*. Great Barrington 2005 und Philipp Mehne: *Bildung vs. Self-Reliance? Selbstkultur bei Goethe und Emerson*. Würzburg 2008. Eine genuin literari-sche und daher gesondert erwähnenswerte Verbindung von Emerson zu Goethe beschreibt J. Lasley Dameron: *Emerson's „Each and All" and Goethes „Eins und Alles"*. In: *English Studies. A Journal of English Language and Literature* 67, 4 (1986), S. 327-330.

Was habe ich denn gemacht? Ich sammelte und benutzte alles was mir vor Augen, vor Ohren, vor die Sinne kam. Zu meinen Werken haben Tausende von Einzelwesen das ihrige beigetragen, Toren und Weise, geistreiche Leute und Dummköpfe, Kinder, Männer und Greise, sie alle kamen und brachten ihre Gedanken, ihr Können, ihre Erfahrungen, ihr Leben und ihr Sein; so erntete ich oft, was andere gesät; mein Lebenswerk ist das eines Kollektivwesens, und dies Werk trägt den Namen Goethe.[20]

Entscheidend ist zunächst, worauf sich Goethe mit diesen Sätzen gerade *nicht* bezieht, nämlich auf das Phänomen kollektiver Autorschaft, das er ebenfalls an unterschiedlichen Stellen anspricht, vor allem mit Bezug auf seine Tätigkeit als Rezensent und seine Lyriksammlungen – und die er selbst durchaus intensiv praktizierte, was in der Forschung bereits mehrfach und eingehend dargelegt worden ist.[21] Goethes Worte über das „Kollektivwesen" richten den Fokus hingegen auf andere Aspekte. Die hier zitierte Aussage enthält – in einer aperçuhaften Verdichtung, wie sie für das Spätwerk Goethes insgesamt charakteristisch ist[22] – mindestens sechs grundsätzliche Aussagen über den Schriftsteller, die poetische Praxis und das literarische Werk:

Erstens entwirft Goethe den Dichter als einen Menschen, der nicht allein aus sich selbst heraus schöpft, sondern die herausragende Fähigkeit besitzt, sämtliche Eindrücke, die ihm „vor Augen, vor Ohren" kommen, produktiv weiter zu verwenden, und das bedeutet hier: in Kunst zu verwandeln. Diese poetologische Denkfigur impliziert *zweitens* ein Modell literarischer Produktivität: Das „Genie" nimmt seine gesamte Lebenswirklichkeit zunächst in sich auf, um sie daraufhin, als eine Art Filter, in sein Werk eingehen zu lassen, und zwar in umgewandelter, gleichsam zur vollen Reife gebrachter Form („so erntete ich oft, was andere gesät"). Kennzeichnend für diesen Ansatz ist *drittens* eine ebenso egalitäre wie universelle Ausrichtung: Schlichtweg „alles", was dem kunstschaffenden Genie begegnet – sei es persönlicher, gegenständlicher oder geistiger Natur, sei es geistreich oder alltäglich, sei es alt oder jung – geht über das „Kollektivwesen" in das Werk ein. Dieser Gedanke wiederum legt *viertens* nahe, dass der Autor mit einer gewissen (an dieser Stelle allerdings nicht konkret benannten) repräsentativen Geltung ausgestattet ist: Er ist es, der für Viele und für Vieles spricht, die und das Teil seines Selbst und damit seines Kunstwerks geworden sind. Auf den damit verbundenen Aspekt der Verkörperlichung kommt es *fünftens* an: Das „Können", die „Erfahrungen", das

---

[20] Goethe: *Die letzten Jahre*, S. 521f.
[21] Vgl. hierzu zuletzt und mit weiteren Nachweisen die Studie von Franziska Lenz: *Kollektive Arbeitsweisen in der Lyrikproduktion von Goethe: „Nur durch Aneignung fremder Schätze entsteht ein Großes"*. Würzburg 2013.
[22] Vgl. zur Formenvielfalt des Aperçu in Goethes Spätwerk die anregenden Überlegungen von Hermann Schmitz: *Goethes Altersdenken im problemgeschichtlichen Zusammenhang*. Bonn 2008 (Reprint der Erstausgabe von 1959), S. 168-179. Schmitz geht auch auf die verschiedenen Selbstaussagen Goethes zur Form des Aperçu ein.

„Leben" und das „Sein", das „Tausende von Einzelwesen" mit sich bringen, all diese einzelnen Elemente werden Teile eines organisch gedachten Gesamtzusammenhangs („Kollektivwesen"), der sich darüber hinaus in einer namentlich bestimmbaren Person („Goethe") konkretisiert – womit schließlich und *sechstens* ein Modell von prozessualer und infinit gedachter Selbstkultivierung, kurz: von ‚Bildung' impliziert wird.

Diese sowohl ästhetisch-poetologischen als auch ethisch-anthropologischen Überlegungen sind für Goethes Spätwerk von zentraler Bedeutung – und in der Vergangenheit bereits so eingehend und umfangreich untersucht worden, dass im Folgenden einige kursorische Bemerkungen zur werkgeschichtlichen Kontextualisierung hinreichen mögen. Zusammenfassen lassen sich unter der Zentralformel des „Kollektivwesens" zunächst sowohl Goethes naturwissenschaftliche Bemühungen – vor allem in der *Farbenlehre* mit ihrer Integration unterschiedlicher, sowohl mathematischer als auch metaphysischer, mechanischer und moralischer Vorstellungsarten – wie auch sein narrativer und lyrischer Altersstil, wie er in den *Wahlverwandtschaften*, dem zweiten Teil des *Faust* und in *Wilhelm Meisters Wanderjahren*, in der *Trilogie der Leidenschaft* und den ‚weltliterarischen' Gedichten des *West-östlichen Divan* oder der *Chinesisch-deutschen Jahres- und Tageszeiten* Gestalt gefunden hat. Die Forschung erkennt zwischen den beiden Werkebenen – Goethes eigener Setzung folgend – ein unmittelbares Entsprechungsverhältnis, wodurch nicht zuletzt eine allgemeine epochengeschichtliche Einordnung nahegelegt wird:

> Was im Feld der naturwissenschaftlichen Naturerkenntnis durch den Ansatz einer differenzbewußten Interdisziplinarität zum Ausdruck kommt, findet [...] seine Entsprechung in einem polyperspektivischen Darstellungsverfahren, das unterschiedliche Sichtweisen aufnimmt und kontrastierend gegenüberstellt. Auch im Bereich der Fiktion setzt sich Goethe über den Zerfall des modernen Weltbildes in partikulare Perspektiven nicht hinweg, er gestaltet ihn vielmehr phantasmatisch aus, um seine Konsequenzen sichtbar zu machen.[23]

Für Emerson ist genau dieser Ansatz – die avancierte Ausgestaltung der Moderne in ihrer unübersehbaren Partikularität – von größter Faszinationskraft.

2 Emerson

Nicht allein an Goethes literarischen und autobiografischen Werken, seinen naturwissenschaftlichen und -philosophischen Arbeiten zeigte Emerson nachdrückliches und anhaltendes Interesse, sondern auch, ja vielleicht sogar mehr noch an der

---

[23] Peter Matussek: *Goethe. Zur Einführung.* 2., verbesserte Auflage Hamburg 2002, S. 169.

Funktionsweise seines Geistes: „He was discernibly fascinated with the way Goethe's mind worked", stellt Robert D. Richardson in diesem Sinne fest.[24] Dass Goethes spätes Selbstbekenntnis als „Kollektivwesen" in ganz besonderem Maße die Aufmerksamkeit des Essayisten auf sich zog, liegt aus dieser Sicht also nahe. Aber mehr noch: Das übersetzte Zitat, das Emerson im dritten Band der von Sarah Austin besorgten *Characteristics of Goethe* gefunden hat,[25] wird für ihn zu einer zentralen, wiederholt und mit großer Zustimmung angeführten Referenzstelle. So findet es sich nicht nur in einer ausführlichen Lektürenotiz, die auf das Jahr 1834 datiert,[26] und in einem Vortrag über Geoffrey Chaucer von 1835,[27] sondern auch in einem 1876 veröffentlichten Essay mit dem einschlägigen Titel *Quotation and Originality*.[28] „Goethe frankly said", so leitet Emerson das Zitat dort ein, um daraufhin das Wort zu übergeben:

> What would remain to me if this art of appropriation were derogatory to genius? Every one of my writings has been furnished to me by a thousand of different persons, a thousand things: wise and foolish have brought me, without suspecting it, the offering of their thoughts, faculties and experience. My work is an aggregation of beings taken from the whole of Nature; it bears the name of Goethe.[29]

Mit Goethe formuliert Emerson also die aus heutiger Sicht fast schon poststrukturalistisch anmutende Idee, dass ein Gedanke immer schon das Zitat eines anderen, früheren Gedankens „aus unterschiedlichsten Stätten der Kultur" darstellt.[30] Blickt man von hier aus auf die *Representative Men* und dabei insbesondere auf das Stück *Goethe; or, the Writer*, so wird deutlich, dass Emerson keineswegs von einem Zitat im buchstäblichen Sinne ausgeht, wenn er von „Quotation" spricht, sondern – ganz im Sinne Goethes – von einer Umwandlung des Vorgefundenen, oder genauer:

---

[24] Vgl. Robert D. Richardson Jr.: *Emerson. The Mind on Fire*. Berkeley, Los Angeles/London 1995, S. 222.

[25] Sarah Austin: *Characteristics of Goethe: From the German of Falk, von Müller, etc.* London 1833, Bd. 3, S. 74-77.

[26] Ralph Waldo Emerson: *Journals and Miscellaneous Notebooks*. Vol. VI: *1824-1838*. Hg. von Ralph H. Orth. Cambridge, Mass. 1966, S. 113. Hier findet sich das Zitat in ganzer Länge. Ein späterer Eintrag greift den Kernsatz von Goethe noch einmal auf: „What is genius but the faculty of seizing & turning to account every thing that strikes us; of coordinating & breathing life into all the materials that present themselves?" (ebd, S. 195).

[27] Ralph Waldo Emerson: *Chaucer*, in: *The Early Lectures of Ralph Waldo Emerson*. Vol. I: *1833-1836*. Hg. von Stephen E. Whicher und Robert E. Spiller. Cambridge, Mass. 1966, S. 269-286.

[28] Das Zitat findet sich noch nicht in der 1868 erstmals in der *North American Review* veröffentlichten Version, wohl aber in der Erstausgabe von *Letters And Social Aims* (1876), der auch die hier verwendete Textausgabe folgt (Ralph Waldo Emerson: *Quotation and Originality*. In: *Emerson's Prose and Poetry*. Ausgewählt und hg. von Joel Porte und Saundra Morris. New York/London 2001, S. 319-330.

[29] Emerson: *Quotation and Originality*, S. 329.

[30] Roland Barthes: *Der Tod des Autors*. In: *Texte zur Theorie der Autorschaft*. Hg. von Fotis Jannidis, Gerhard Lauer [u.a.]. Stuttgart 2000, S. 185-193, hier S. 190f.

von einer Erneuerung und Verfeinerung, die hier zugleich einer Art Verlebendigung entspricht:

> [I]n man, the report is something more than print of the seal. It is a new and
> finer form of the original. The record is alive, as that which it recorded is
> alive. In man, the memory is a kind of looking-glass, which, having received
> the images of surrounding objects, is touched with life, and disposes them in
> a new order. [...] The man cooperates.[31]

Ausgehend von dieser Grundannahme einer Erneuerung, Verfeinerung („new and
finer form") und Verlebendigung („The record is alive") des in der Erinnerung
Gespeicherten, wendet sich Emerson sodann dem Dichter zu, dem er „exalted
powers for this second creation"[32] zuspricht. Er hebt dabei mit besonderem Nachdruck jenen egalitären und universellen Zug hervor, der auch Goethes Rede vom
„Kollektivwesen" eignet:

> Whatever he beholds or experiences, comes to him as a model, and sits for
> its picture. [...] He believes that all that can be thought can be written, first
> or last; [...]. Nothing so broad, so subtle, or so dear, but comes therefore
> commended to his pen, – and he will write. In his eyes, a man is the faculty
> of reporting, and the universe is the possibility of being reported. In conver-
> sation, in calamity, he finds new materials [...].[33]

Nun kann es kaum überraschen, dass Emerson ein herausragendes Beispiel für
dieses Autorschaftskonzept bei gerade jenem Dichter findet, an dessen Aussage es
offenbar von vornherein geschult war. Zugleich aber geht er über Goethes Argu-
mentation entschieden hinaus, wenn er dessen Idee vom „Kollektivwesen" in einem romantischen Sinne funktionalisiert:[34] Goethe vollziehe in seiner künstlerischen Erneuerung, Verfeinerung, Verlebendigung des mannigfach Vorgefundenen
nichts Geringeres, so Emerson, als die Re-Synthetisierung einer Moderne, die in
einen unübersichtlichen, allumfassenden und sich beständig ausdehnenden Pluralismus zerspalten ist, in Mythologien, Philosophien, Literaturen – und so fort.

---

[31] Ralph Waldo Emerson: *Goethe; or, the Writer.* In R.W.E.: *Essays & Lectures.* Hg. von Joel Porte. New
York 1983, S. 746-761, hier S. 746.
[32] Ebd., S. 746.
[33] Ebd., S. 747.
[34] Vgl. zur eingehend und umfangreich erforschten Anverwandlung der europäischen Romantik bei
Emerson, als Hauptvertreter des so genannten *American Romanticism*, die Studie von David Greenham:
Emerson's Transatlantic Romanticism. Houndmills/Basingstoke [u.a.] 2012 (mit weiteren Literaturhinwei-
sen).

Der Dichter erscheint somit gewissermaßen als die personifizierte „Over-Soul", als
„the eternal ONE", in dem sich die „part" und „particle" der modernen Lebenswelt auf wunderbare Weise zur neuen Einheit fügen:[35]

> The world extends itself like American trade. We conceive Greek or Roman
> life, – life in the Middle Ages, – to be a simple and comprehensible affair;
> but modern life to respect a multitude of things which is distracting. Goethe
> was the philosopher of this multiplicity; hundred-handed, Argus-eyed, able
> and happy to cope with this rolling miscellany of facts and sciences, and, by
> his own versatility, to dispose of them with ease […]. The Helena, or the
> second part of Faust, is a philosophy of literature set in poetry; the work of
> one who found himself the master of histories, mythologies, philosophies,
> sciences, and national literatures […]; and every one of these kingdoms as-
> suming a certain aerial and poetic character, by reason of the multitude. […]
> He was the soul of his century. […] He had a power to unite the detached
> atoms again by their own law. He has clothed our modern existence with
> poetry.[36]

Auffällig erscheint die Wechselseitigkeit, mit der hier von der Vielheit im modernen Sinne die Rede ist: einmal als ein *Negativzustand* („a multitude of things which
is distracting"), der zumindest in der Kunst aufgehoben und kompensiert werden
könne und solle; dann aber auch als eine *Produktivkraft* des Dichters, dessen Genie
sich erst durch die Aufnahme und Verarbeitung dieser Vielheit entfalte, was ihn
zugleich („soul of his century") der Klasse der *Representative Men* zuordnet, die
Emerson in seinem Band in insgesamt sechs Essays porträtiert.[37]
    An dieser Stelle schränkt Emerson zugleich aber ein: Die vereinigende, ver-
söhnende Aufgabe, die dem repräsentativen Dichter in seiner doppelten Stellung
gegenüber der ,multitude' zugewiesen wird, sei gegenwärtig niemand zu übernehmen bereit oder auch nur imstande. Fest *in die Gesellschaft* integriert, komme den
Dichtern das Bewusstsein ihrer ,heiligen' Aufgabe *für die Gesellschaft*, die Emerson
im Modus spätromantischer Kunstreligion umreißt,[38] nicht einmal in den Sinn:

> Society has really no graver interest than the well-being of the literary class.
> […] There have been times when he was a sacred person: he wrote Bibles;
> the first hymns; the codes; the epics, tragic songs, Sibylline verses, Chaldean
> oracles, Laconian sentences, inscribed on temple walls. Every word was

---

[35] Emerson: *Prose and Poetry*, S. 164 (*The Over-Soul*).
[36] Emerson: *Goethe; or, the Writer*, S. 751f.
[37] Neben Goethe werden hier Platon, Swedenborg, Montaigne, Shakespeare und Napoleon behan-
delt.
[38] Zum Gegenstand der Kunstreligion siehe eingehend die Begriffsbestimmung von Heinrich Detering: *Was ist Kunstreligion? Systematische und historische Bemerkungen*. In: *Kunstreligion. Der Ursprung des Konzepts um 1800*. Hg. von Albert Meier, Alessandro Costazza [u.a.]. Berlin/New York 2011, S. 11-27.

true, and woke the nations to new life. He wrote without levity, and without choice. [...] But how can he be honored, when he does not honor himself, when he loses himself in a crowd [...], ducking to the giddy opinion of a reckless public [...]; or write conventional criticism, or profligate novels; or, at any rate, write without thought, and without recurrence by day and by night, to the sources of inspiration?[39]

Mit seiner Klage über die Verweltlichung der Autorschaft bereitet Emerson den Boden für den Auftritt des selbsterklärten Nationaldichters Walt Whitman, der sich eben jene kunstreligiöse Emphase, die Emerson den heiligen alten, gegenwärtig aber schmerzlich vermissten Dichtern zuspricht, denn auch ganz unbescheiden selbst zu eigen macht.[40] Im poetologischen Kernstück der *Leaves of Grass*, dem *Song of Myself*, kommt dies unmissverständlich zum Ausdruck; wir hören ein Sprecher-Ich, das sich selbst als „Walt Whitman" (V. 496) bezeichnet und sich den Lesern mit folgenden Versen vorstellt: „Divine am I inside and out, and I make holy whatever I touch or am touched from" (V. 523).

Nun könnte dieses poetologische Komplementärverhältnis für sich genommen natürlich dem Zufall geschuldet sein (und zudem aus Emersons Essay *The Poet* mit seiner ins Religiöse reichenden Hypostasierung des Dichters herrühren),[41] stünde sie nicht im Zusammenhang mit weiteren, signifikanten Konvergenzen, die sich auf Emerson – und von ihm ausgehend auf Goethe – zurückführen lassen.

3   Whitman

In Whitmans Gedicht findet sich die Betonung einer nicht-originellen, sondern auf sinnlicher Wahrnehmung der gesamten Lebensumwelt beruhenden Poesie. „O I perceive after all so many uttering tongues! / And I perceive they do not come from the roofs of mouths for nothing" (V. 110-111), so merkt der Sprecher an, um etwas später ausdrücklich festzuhalten, die Gedanken, die er in sich aufnehme und in seinem Gesang entfalte, „the thoughts of all men in all ages and lands, they are not original with me" (V. 353). Das heißt, die Gedanken des Sprechers sind, mit Emerson gesprochen, nur eines, nämlich „Quotation". Das sensorische Erfassen und, mehr noch, die sich gleichsam vegetativ vollziehende Wahrnehmung der menschlichen, geistigen und materialen Welt in ihrem gesamten Umfang umschreibt Whitman in diesem Zusammenhang zweimal mit dem Prädikat „breathe" – „breathe the fragrance" (V. 7), „breathe the air" (V. 348).[42] Es ist nahezu dieselbe

---

[39] Emerson: *Goethe; or, the Writer*, S. 750.
[40] Vgl. eingehend zu Whitman im Kontext prophetischer Rede Bernadette Malinowski: *„Das Heilige sei mein Wort". Paradigmen prophetischer Dichtung von Klopstock bis Whitman.* Würzburg 2002, S. 363-406.
[41] Vgl. die Parallelstellen-Lektüre von Stovall: *The Foreground of „Leaves of Grass"*, S. 296f.
[42] Vgl. zu diesem als Verständnis des „self" als „a sort of lung, inhaling and exhaling the world" Lewis Hyde: *The Gift – Imagination and the Erotic Life of Property.* New York 1983, S. 170f. Ob Hydes Generalisierung dieses Motivs zu einem allgemeinen Strukturprinzip des Gedichtes („inhalation and exhala-

Formulierung, die Emerson in Bezug auf Goethe verwendet: „Goethe, a man quite domesticated in the century, breathing its air".[43] Die übermenschliche Größe des Sprechers („a kosmos") ergibt sich also nicht aus einer autochthonen Selbstschöpfung, sondern aus der besonderen Fähigkeit zur universellen Apperzeption.

In dieser Konstellation ist die Vorstellung des Dichters als einer Art Filter der absorbierten Lebenswelt angelegt.[44] Dieser Gedanke wird hier, in erneutem Anschluss an Emerson, als eine Forderung von allgemeinmenschlicher Gültigkeit zum Ausdruck gebracht: „You shall listen to all sides and filter them from your self" (V. 28). Das Prädikat „filter" schließt dabei den Aspekt einer Verwandlung, oder mit Emersons Deutung des Goethe'schen Gedankens gesprochen, einer Erneuerung und Verfeinerung des allumfänglich Wahr- und Aufgenommenen mit ein. Diesen Filterprozess umschreibt Whitman mit der wiederkehrenden Formel „through me":

> Through me many long dumb voices,
> Voices of the interminable generations of slaves,
> Voices of prostitutes and of deformed persons,
> Voices of the diseased and despairing, and of thieves and dwarfs,
> Voices of cycles of preparation and accretion,
> And of the threads that connect the stars – and of wombs, and of
>   the fatherstuff,
> And of the rights of them the others are down upon,
> Of the trivial and flat and foolish and despised,
> Of fog in the air and beetles rolling balls of dung.
> Through me forbidden voices,
> Voices of sexes and lusts …. voices veiled, and I remove the veil,
> Voices indecent by me clarified and transfigured.
> (V. 509-520)

Gerade der Anspruch, die bislang verstummten, die unterdrückten und verbotenen Stimmen der gesellschaftlich Ausgestoßenen in der literarisch-transfigurierenden Rede zum Sprechen zu bringen, deutet auf eine egalitäre, oder, wie Whitman wörtlich sagt, auf eine ‚demokratische' Ausrichtung seiner Poetik hin.[45] Erstaunlicher-

---

tion [...] are the structuring elements of the poem") wirklich stichhaltig ist, darf allerdings bezweifelt werden.

[43] Emerson: *Goethe; or, the Writer*, S. 750.

[44] „Almost everything in the poem happens as a breathing, an incarnate give-and-take, which *filters* the world through the body" (Hyde: *The Gift*, S. 171; meine Hervorhebung).

[45] Vgl. hierzu weiterhin grundlegend James Edwin Miller: *Leaves of Grass. America's Lyric-Epic of Self and Democracy*. New York 1992. Zum Aspekt der Identifikation des Sprechers „with the lowly and the outcast" (ebd., S. 41) hält Miller fest: „Whitman's universal embrace appears to be a genuine expression of his profound human – and democratic – sympathies, an emphatic realization in effect of the classic statement by the Latin dramatist Terence [...]: ‚I am a man: nothing human is alien to me'" (ebd., S. 42). Die oben angeführte Stelle („Through me forbidden voices" usw.) liest Miller vor allem

weise drückt er sich dabei bis in den Wortlaut hinein fast selbst wie Goethe aus, den er in seinen Selbstkommentaren doch ausgerechnet aufgrund seiner vermeintlich selbstbezogenen Grundhaltung verurteilt: „I am of old and young, of the foolish as much as the wise" (V. 326).[46] An dieser Stelle nur zum Vergleich noch einmal der entsprechende Satz von Goethe: „Zu meinen Werken haben Tausende von Einzelwesen das ihrige beigetragen, Toren und Weise, geistreiche Leute und Dummköpfe, Kinder, Männer und Greise". Egalitär ist Whitmans poetologische Selbstzuschreibung dabei auch insofern, als er sich dem Kollektiv, das er in sich bündelt, ausdrücklich und immer wieder selbst zurechnet: „I am of". Dieser explizite Akt der Identifikation findet sich in Goethes Entwurf eines „être collectif" und seiner Fortschreibung bei Emerson zumindest nicht in dieser Deutlichkeit – und ausdrücklich nicht in Bezug auf die bei Whitman genannten Sklaven und Prostituierten, Kranken und Verzweifelten, Diebe und Entstellten.

In anderen Passagen seines Gedichtes treibt Whitman diese Identifikation sogar noch weiter, nämlich hin zu einer vollumfänglichen Transfiguration des Selbst:

> I understand the large hearts of heroes,
> The courage of present times and all times;
> How the skipper saw the crowded and rudderless wreck of the
>   steamship, and death chasing it up and down the storm,
> How he knuckled tight and gave not back one inch, and was faithful
>   of days and faithful of nights,
> And chalked in large letters on a board, Be of good cheer, We will
>   not desert you;
> How he saved the drifting company at last,
> How the lank loose-gowned women looked when boated from the
>   side of their prepared graves,
> How the silent old-faced infants, and the lifted sick, and the sharp-
>   lipped unshaved men;
> All this I swallow and it tastes good .... I like it well, and it becomes
>   mine,
> I am the man .... I suffered .... I was there.
> (V. 817-827)

---

mit Blick auf die sich aus dem Kotext ergebenden sexuellen Konnotationen, die aber mit dem Aspekt des Politischen gleichsam überblendet werden (vgl. ebd., S. 42-44).

[46] An anderer Stelle heißt es, das Ich durchströmten die Stimmen „[o]f the trivial and flat and foolish and despised" (V. 516).

In diesem zwar nur kleinen, aber strukturell vollumfänglichen Erzähltext[47] geht es bloß in zweiter Linie um eine nautische Katastrophe. Vor allem wird hier von einer Selbstverwandlung des Sprechers berichtet, die sich über eine körperliche Aufnahme und dadurch vollzogene Aneignung des Geschilderten vollzieht: „All this I swallow and it tastes good . . . . I like it well, and it becomes mine". Aus dem bloß nachvollziehenden Ich („I understand") wird so ein leibhaftig erlebendes Ich („I am the man"), und es gibt keinen Grund, diese religiös anmutende Geste der Menschwerdung nicht im buchstäblichen Sinne zu verstehen: Das Ich, das Whitman in seinem Gedicht als Sprecher konzeptualisiert, verwandelt sich in Andere, auch wenn diese Verwandlung nicht immer expliziert, sondern mitunter lediglich konstatiert wird: „I am the hounded slave" (V. 834), „I am the mashed fireman" (V. 843). Von hier aus ist es, auch in rezeptionsgeschichtlicher Hinsicht, nicht weit zu dem von Heinrich Detering entschlüsselten Spätwerk von Bob Dylan, dessen transfigurativen Grundzug der Sänger mit Sätzen wie „The people in the songs are all me" auf eine Formel bringt. Den an Whitman erinnernden Charakter dieser Gleichung hebt Detering in der syntaktischen Umkehr des Satzes hervor: „Me are all the people in the songs."[48] In dieser Satzstellung ist die Nähe zwischen Dylans „Me", Whitmans „I" und Goethes „Kollektivwesen" tatsächlich unübersehbar.

Eingeschlossen sind in das Kollektiv der „many long dumb voices", die den Sprecher durchströmen und die er sich in einem transfigurativen Sinne aneignet, nicht allein die Lebenden, sondern ausdrücklich auch die Toten;[49] eine Vorstellung, die in Goethes Rede vom „Kollektivwesen" nicht explizit vorgesehen ist,[50] während sie in Emersons Konzept einer Verlebendigung des Vorgefundenen und Aufgenommenen („The record is alive") zumindest angedeutet wird. Whitmans Poetik läuft demgegenüber auf einen regelrechten Totenkult hinaus, prägnant entfaltet in

---

[47] „Ein Text ist genau dann eine Erzählung", so lautet die bekannte Minimaldefinition, „wenn er von mindestens zwei Ereignissen handelt, die temporal geordnet sowie in mindestens einer weiteren sinnhaften Weise miteinander verknüpft sind" (Tilmann Köppe/Tom Kindt: *Erzähltheorie. Eine Einführung*. Stuttgart 2014, S. 43).

[48] Heinrich Detering: *Die Stimmen aus der Unterwelt. Bob Dylans Mysterienspiele*. München 2016, S. 62 (dort auch das Dylan-Zitat mit Quellenangabe). Anzumerken ist an dieser Stelle, dass in Dylans intellektuellem und künstlerischem Kosmos Whitman ohnehin eine zentrale Stellung zukommt, und dies nicht allein, aber in wesentlicher Hinsicht durch Allen Ginsbergs Vermittlung (hierzu ebd., S. 63).

[49] Whitman bezieht dies an anderer Stelle nicht nur auf die ‚Stimmen', sondern auf eine organische Transformation im geradezu chemischen Sinne, was in der Forschung bereits mehrfach gesehen worden ist: „[T]he atoms that today compose us once belonged to people of previous generations. Remarkably, these atoms have cycled through multitudes of people stretching back to time and space's inception. The idea that we contain the atoms of multitudes gives new meaning to Whitman's famous line ‚I am large .... I contain multitudes'" (Jack Turner: *Whitman, Death und Democracy*. In: *A Political Companion to Walt Whitman*. Hg. von John E. Seery. Lexington 2011, S. 272-295, hier S. 275).

[50] Wohl aber gibt es bei Goethe eine „‚Aura' des eigenhändig Geschriebenen", wie Schöne betont; er belegt dies mit einem Zitat aus einem Brief an Friedrich Heinrich Jacobi vom 10. April 1812: „Solche Blätter sind mir von unendlichem Werth; denn da mir die sinnliche Anschauung durchaus unentbehrlich ist, so werden mir vorzügliche Menschen durch ihre Handschrift auf eine magische Weise vergegenwärtigt" (zit. nach Albrecht Schöne: *Der Briefeschreiber Goethe*. München 2015, S. 11). Vgl. zu derlei Implikationen des Handschriftlichen bei Goethe noch eingehender Sebastian Böhmer: *Die Magie der Handschrift. Warum Goethe Autographe sammelte*. In: *Zeitschrift für Ideengeschichte* 5, 4 (2011), S. 97-110.

dem poetologischen Kurzgedicht *Pensive and Faltering*, das der 1871 veröffentlichten Fassung der *Leaves* eingegliedert ist:

> Pensive and faltering,
> The words *the Dead* I write,
> For living are the Dead,
> (Haply the only living, only real,
> And I the apparition, I the spectre.)[51]

Das schreibende Sprecher-Ich gerät hier unversehens zu einer ‚Figur des Dritten', die zwischen dem Reich der Lebenden („only living") und der Sphäre der Hingeschiedenen („the Dead") vermittelt.[52] Oder noch etwas genauer: Im Zuge seines animistisch verstandenen, in seiner auratischen Performanz geschilderten Schreibakts („The words *the Dead* I write") regt der Sprecher die Toten zum Widergehen an („living are the Dead"), und zwar in der Gestalt des Sprechers selbst, der folgerichtig als Geist oder auch Gespenst („I the apparition, I the spectre") erscheint. Die von Philippe Ariès wirkmächtig beschriebene Tatsache, dass die Religion und mit ihr die Kirche im Zuge der Moderne ihre Alleinstellung als Verwalterin des Totenkults verliert und sich infolgedessen vielfach die Kunst dieser Aufgabe bemächtigt,[53] betrifft somit auch die Poetik Whitmans.

Aus dem egalitär-demokratischen, auf universelle Inklusion ausgerichteten und zudem totenkultisch aufgeladenen Ansatz Whitmans leitet sich zuletzt ein gesteigerter Anspruch auf Repräsentanz ab, gipfelnd in der berühmtesten und hier bereits zitierten Formel des Gesangs, die einen Zentralbegriff von Emerson aufgreift: „I am large …. I contain multitudes" (V. 1316). Die semantische Nähe zur Rede vom „Kollektivwesen" liegt auf der Hand, allerdings identifiziert Whitman das Kollektiv, das bei Goethe mehr oder weniger unspezifisch bleibt, zum einen mit der amerikanische Nation, als deren Sprachrohr er sich versteht: „Walt Whitman, a kosmos, of Manhattan the son" (V. 497).[54] Zum anderen nennt er die allgemeine Massenhaftigkeit der Moderne als Referenznahmen; eine Massenhaftigkeit, die er durch den Dichter – und damit durch sich selbst – stellvertretend repräsentiert sieht: „And mine a word of the modern …. a word en masse" (V. 484).

---

[51] Whitman: *Leaves of Grass*, S. 381.

[52] Fassen lässt sich dieser Gedanke unter den von Turner beschriebenen „Inspiration[s] to Creative Immortality" (Turner: *Whitman, Death und Democracy*, S. 277-282), die in sämtlichen Spielarten auf einer basalen Auratisierung der Schrift beruhen: „In written words, the self is literally present, whether or not the body that wrote the words is literally living and breathing" (ebd., S. 278).

[53] Philippe Ariès: *Geschichte des Todes*. München 1980, S. 715-770. Whitman steht in dieser Hinsicht (und vermutlich nur in dieser Hinsicht) in einer Reihe mit Dichtern wie Rainer Maria Rilke, Stéphane Mallarmé, Stefan George oder Ossip Mandelstam, die unter höchst unterschiedlichen literatur- und kulturhistorischen Umständen und in ganz eigener Weise ebenfalls totenkultische Konzeptionen des Gedichts entwickelt haben.

[54] Vgl. hier auch den Schlusssatz im Vorwort zur Erstauflage der *Leaves*: „The proof of a poet is that his country absorbs him as affectionally as he has absorbed it." (Whitman: *Leaves of Grass*, S. 636)

In der Übersicht zeigt sich, dass sich die Nähe des im *Song of Myself* entworfenen Ich zu Emersons und Goethes Ansätzen in gleich mehreren Aspekten nieder-schlägt: in der Nicht-Originalität des Dichters und seiner Abhängigkeit von der sinnlich wahrgenommenen und in sich aufgenommenen Lebenswelt; in der Um-wandlung der absorbierten Lebenswelt in Kunst; in der universellen und zugleich egalitären Ausrichtung sowie dem impliziten Anspruch des Dichters auf Repräsen-tanz. Dass hierbei zumindest partiell von einer indirekten Einflussbeziehung aus-zugehen ist, zeigt sich nicht nur in der überschneidenden Lexik (Emerson: „brea-thing its air", Whitman: „breathe the air"). Mehr noch und auf konzeptueller Ebe-ne lässt sich dies an Whitmans romantisierender Funktionalisierung des Goe-the'schen Modells erkennen. Emersons Lesart des „Kollektivwesens", vor allem aber der Auftrag, den er aus diesem Konzept herleitet und im Schlusssatz seines Goethe-Essays zusammenfasst, liest sich diesbezüglich fast wie eine argumentative Vorlage:

> We too must write Bibles, to unite again the heavenly and the earthly world. The secret of genius is [...] to realize all that we know; in the high refine-ment of modern life, in arts, in sciences, in books, in men, to exact good faith, reality, and a purpose; and first, last, midst, and without end, to honor every truth by use.[55]

Der literarische Text als eine heilige Schrift, die syntheseartig verbinden soll, was in der modernen Welt in einer unübersichtlichen, unübersehbaren Vielheit zerspalten vorliegt, so bestimmt Emerson den kompensatorischen Auftrag des modernen Dichters. Whitman folgt ihm dabei im Grundsatz nach, wenn er die Dichter als „gangs of kosmos" und „prophets en masse" bestimmt.[56] Sie erscheinen bei ihm als Vermittler des Verschiedenen („arbiter of the diverse"),[57] als Erfüller des zu Erfüllenden („supplies what wants supplying"),[58] dies nun allerdings in nationalpat-riotischer Zuspitzung, was bereits im Vorwort zur Erstauflage der *Leaves* zum Aus-druck gebracht wird:

> Of all Nations the United States with veins full of poetical stuff most need poets and will doubtless have the greatest and use them the greatest. Their Presidents shall not be their common referee so much as their poet shall. [...] He is the arbiter of the diverse and he is the key. He is the equalizer of his age and land ... he supplies what wants supplying [...].[59]

---

[55] Emerson: *Goethe, or the Writer*, S. 761.
[56] Whitman: *Leaves of Grass*, S. 634.
[57] Ebd., S. 620.
[58] Ebd.
[59] Ebd., S. 619-620.

Zu diesem Anspruch passte es zunächst, dass Whitman die 1860 erschienene dritte Edition der *Leaves* in ihrer materialen Gestalt einer einfach gebundenen King James-Bibel des späten 19. Jahrhunderts annäherte.[60] Allerdings darf hierbei nicht das charakteristische Spannungsverhältnis der Konstellation aus dem Blick geraten: Der Dichter als Vermittler des Unterschiedenen – das bedeutet eben keine Aufhebung des Mannigfachen zugunsten einer neuen und allumfassenden Totalität. Whitman scheint es vielmehr um einen intermediären Ansatz zu gehen, wie er ähnlich bei Goethe und Emerson konzeptualisiert wird (und nicht voreilig über den Begriff der Organizität entproblematisiert werden sollte),[61] nämlich um die Vermittlung von Einzelnem und Ganzem, Heterogenität und Harmonie, Vielheit und Einheit.

Vor dem Hintergrund der hier vollzogenen Rekonstruktion stellt sich die eingangs aufgeworfene Frage, warum Whitman einen Einfluss Goethes nicht nur verschwieg, sondern ausdrücklich von sich wies, mit gesteigerter Dringlichkeit. Die Antwort hierauf wird man nicht allein in Whitmans inhaltlicher Kritik an Goethe finden, sondern, mehr noch, in Goethes Stellung als paradigmatischem Vertreter des europäischen Geisteslebens. Denn so eindringlich Whitman die *Forderung* nach einer autochthonen amerikanischen Literatur formuliert – mit ihm selbst als ihrem ersten und zugleich hervorragendsten Vertreter –, so unvermeidlich geht damit die *Zurückweisung* ihrer abendländischen Wurzel einher: „Still further, as long as the States continue to absorb and be dominated by the poetry of the Old World [...], so long will they stop short of first-class Nationality and remain defective."[62] Die bemerkenswerte, auffällige Vehemenz, mit der sich Whitman von Goethe absetzt, erweist sich vor diesem Hintergrund als eine nationalpatriotische Spielart der von Harald Bloom beschriebenen *Anxiety of Influence*.[63] Tatsächlich aber gilt für diesen Fall: Brooklyn und Weimar trennen keine Welten – es bedurfte nur eines Umwegs über Concord, Massachusetts.

---

[60] Walt Whitman: *Leaves of Grass, 1860. The 150th Anniversary Facsimile Edition.* Hg. von Jason Stacey. Iowa City 2009, vgl. hierzu im Vorwort des Herausgebers S. x.

[61] Ich beziehe mich hier auf ein naheliegendes Missverständnis. Der Begriff der ‚organischen Demokratie', der in der Whitman-Forschung vielfach kursiert, bezieht sich auf ein bestimmtes Set an Werten und Normen, die als Teil des menschlichen Wesens und als Grundlage des sozialen Miteinanders erachtet werde. Von einer ‚organischen Kultur' geht Whitman jedoch keineswegs aus, wie auch Mack betont: „While it is true that Whitman was moved by an appreciation for the interconectedness of life, it would nevertheless be a profound error to confuse the concept of organic democracy with the notion of an organic American state: they are radically different, even antithetical, ideas" (Stephen John Mack: *The Pragmatic Whitman. Reimagening American Democracy.* Iowa City 2002, S. 160-165, hier S. 163).

[62] Whitman: *Leaves of Grass,* S. 584 (*A Backward Glance O'er Travel'd Roads*).

[63] Harald Bloom: *The Anxiety of Influence: A Theory of Poetry.* New York 1973.

Begebenheiten unitarischer Geschichte: Von Puritanern zu engagierten Bildungsbürgern

Dan McKanan

Unitarismus wird oft über abstrakte und universelle Grundsätze definiert, wie z.B. „Freiheit, Vernunft und Toleranz" oder auch als „Wert und Würde, die jeder Person innewohnen". Doch wie jede Tradition wurde auch der Unitarismus geprägt durch seine kulturelle Umgebung sowie durch zufällige Begebenheiten und Umstände. Diese geschichtlichen Gegebenheiten bilden den Körper des Geistes liberaler Religion. Ohne sie hätten wir möglicherweise keine Institutionen oder Gemeinden, um unsere Grundsätze an kommende Generationen weiterzugeben.

Dieser Beitrag untersucht fünf *accidents* der Geschichte, die den Unitarismus in den Vereinigten Staaten geprägt haben, Ereignisse und Begebenheiten, die sich als Zufälle betrachten lassen und doch nachhaltige Konsequenzen nach sich zogen: seinen Ursprung aus den puritanischen Kirchen Neuenglands; seine Geburt gleich nach der amerikanischen Revolution, als die junge Nation ihr Experiment der Religionsfreiheit wagte; die prägende Begegnung mit dem deutschen Idealismus zur Zeit Emersons; seine symbiotische Beziehung zu Hochschulen und Universitäten und seine Verbindung mit der Tradition der Universalisten im Jahr 1961. Diese Schilderungen sollen die deutschen Unitarier dazu anregen, diese Begebenheiten zu reflektieren, die ihre eigene Geschichte prägen – sowie auch ihre Zukunft.

Es wäre ebenso möglich wie verführerisch, religiösen Liberalismus über abstrakte Grundsätze zu definieren, ohne einen Bezug zu bestimmten geographischen oder geschichtlichen Zusammenhängen herzustellen. Unitarische Universalisten von heute berufen sich auf sieben Grundsätze; sie reichen von „Wert und Würde, die jeder Person innewohnen" bis zum „Respekt vor der ineinandergreifenden Vernetzung jeglicher Existenz, zu der wir gehören". Bill Sinkford, ehemaliger Präsident der *Unitarian Universalist Association*, hat bekanntlich festgestellt, dass die unitarischen Grundsätze nicht ein einziges Wort enthalten, das traditionell als religiös eingestuft werden kann. Doch er hätte noch weiter gehen sollen, bis hin zu der Feststellung, dass diese Grundsätze überhaupt nicht ausdrücklich in irgendeiner Religion oder kulturellen Tradition verwurzelt sind.

Religiöse Liberale im Allgemeinen und Unitarier im Besonderen neigen zu abstrakten Auslegungen und Erläuterungen unserer Traditionen, weil wir befürchten, dass eine Vergangenheit, der man zu viel Aufmerksamkeit schenkt, eine zu große Macht über die Gegenwart gewinnen könnte. Ralph Waldo Emerson beklagte, dass „historisches" Christentum „von der Offenbarung als etwas [redet], das schon lange vorbei ist − als ob Gott tot sei". Wahre Religion, so wie Emerson sie verstand, gründete in der „intuitive[n] Erkenntnis der Tugend", die er als zugleich „göttlich" und „vergöttlichend" bezeichnete.[1] Emersons Freund Theodore Parker mahnte die Unitarier, sich von „Formen und Lehren" zu verabschieden, und sich zu konzentrieren auf „dauernde" Grundsätze wie „das göttliche Leben der Seele, [...] die Liebe zu Gott und den Menschen". „Wenn [...] bewiesen werden könnte", so Parker, „daß Jesus von Nazareth nie gelebt hätte, so würde das Christenthum dennoch fest stehen und nichts Übles zu fürchten haben".[2] Damit wir uns nicht missverstehen: Beide, Emerson wie Parker, wurden von den meisten auch ihrer unitarischen Zeitgenossen als Ketzer angesehen. Aber ihre Worte überdauerten, ebenso wie die wirkungsmächtigen Grundformen unitarischen Glaubens, die auch heutzutage in Amerika fortleben. Auch wir fürchten eine tyrannische Herrschaft der Vergangenheit; auch wir glauben, dass gute Grundsätze alles sind, was wir benötigen, um einen lebendigen Glauben aufrechtzuerhalten.

Trotzdem möchte ich darauf hinweisen, dass abstrakte Grundsätze allein nicht genug sind, um eine lebendige religiöse Bewegung zu erhalten. Der Geist verlangt nach Fleisch, selbst wenn er immer über dessen Grenzen hinausdrängen wird. Das Ewige verlangt nach dem Kurzlebigen. Emersons und Parkers etwas konservativerer Freund Frederic Henry Hedge, selbst das wichtigste Bindeglied zwischen amerikanischem Transzendentalismus und deutschem Idealismus, erläuterte seinen Standpunkt in einer wortgewandten Predigt zur Metapher des heiligen Paulus vom Buchstaben, der töte, und dem Geist, der lebendig mache (2. Kor 3,6):

> Der Geist sucht im Verhältnis zu der ihm innewohnenden Kraft, sich zu verkörperlichen, und strebt im Laufe der Zeit danach, zum Buchstaben zu erstarren. [...] Alle Offenbarungen und Entwicklungen erreichen ein Stadium der Verfestigung, nachdem sie einen flüssigen oder gasförmigen Zustand durchlaufen haben: Nach dem zeitweisen Leben und Arbeiten als

---

[1] Um die Vortragsform beizubehalten, wird hier zumeist auf einzelne Belege und Nachweise von Zitaten verzichtet. Zu Emersons *Divinity School Address* vgl. die deutsche Übersetzung von Heiko Fischer (mit einer Einleitung von Dieter Schulz): *Drei Ansprachen. Über Bildung, Religion und Henry David Thoreau.* Freiburg/Br. 2007, S. 21-49, hier S. 61, 64, 55 u. 57.

[2] Theodore Parker: *Das Vergängliche und das Bleibende im Christenthume.* In: T.P.: *Sämmtliche Werke.* Erster Band. *Kritische und vermischte Schriften.* Übersetzt von Johannes Ziethen. Leipzig 1854, S. 167-208, hier S. 173 u. 189.

körperloser Geist kristallisieren sie sich zu festen, formalisierten Kräften oder Stützen, stabilisieren sich als Schriften oder Kirchen. [...] Es gibt keinen Widerstreit mit dem Buchstaben: der Geist verlangt ihn.

Hedge hat nicht versucht, dem Vergangenen wieder Geltung zu verschaffen, sondern er hat nur einfach seinen Freund dazu ermahnt, es nicht ganz zu vernachlässigen. Wenn wir unsere liberalen Grundsätze wertschätzten, so Hedge, sollten wir der Art und Weise Aufmerksamkeit schenken, in der diese Grundsätze in den einzelnen Gemeinden mit ihren besonderen Geschichten umgesetzt werden.

Und so möchte ich heute mit Ihnen die besondere Geschichte der unitarischen Tradition teilen, die mir am geläufigsten ist: des Unitarismus in Amerika. Meine Erzählung dieser Geschichte betont nicht die abstrakten Grundsätze, sondern einige Umstände und Faktoren, die es diesen Grundsätzen ermöglichten, körperliche Gestalt zu gewinnen. Damit möchte ich Sie einladen, auch die Ereignisse zu reflektieren, in denen der deutsche Unitarismus das getan hat.

1 Puritanismus in Neuengland

Die unitarische Tradition Amerikas entstand in den ersten Dekaden des 19. Jahrhunderts; sie baute auf Fundamenten auf, die zwei Jahrhunderte früher von den puritanischen Gründern von Neuengland gelegt worden waren. Selbst heute noch erinnern sich viele Gemeinden Unitarischer Universalisten mit Stolz an ihre puritanischen Wurzeln; so auch die Gemeinde, der ich angehöre.

Die Verbindung zwischen Puritanismus und Unitarismus mag überraschend sein, weil die Puritaner ganz sicher keine religiösen Liberalen waren. Sie sahen sich dem reformierten Glauben von Johannes Calvin und Ulrich Zwingli verpflichtet und glaubten, dass die Anglikanische Kirche einer „Reinigung" von katholischen Praktiken und Riten bedürfe. Ihre Glaubenslehre betonte die vollständige Verderbtheit der menschlichen Natur, und sie waren (als wollten sie ebendiese Verderbtheit demonstrieren) gewaltsam intolerant gegenüber jeglicher religiösen Abweichung. Amerikanische Ureinwohner, Quäker, Menschen, die wegen Hexerei angeklagt waren: sie wurden von den Gründern Neuenglands umgebracht. Personen, die auch nur die kleinsten Abweichungen vom Puritanismus predigten, wurden verbannt, unter ihnen Roger Williams, der erste amerikanische Verfechter der Religionsfreiheit. Unitarier können und wollen auf diese Aspekte des puritanischen Erbes nicht stolz sein; vielmehr müssen sie stetig daran arbeiten, diese von den Vorgängern verursachten Wunden zu heilen.

Ein anderer Aspekt des puritanischen Erbes aber ist in unitarischen Gemeinden noch immer lebendig, und das ist die Unabhängigkeit des Gemeindelebens, die protestantische Selbstverwaltung. Die puritanische *Cambridge Platform* (ein Text, der über viele Jahrzehnte hinweg eine Art Verfassung des kongregationalistischen Gemeinwesens in Neuengland bildete) erklärte 1649, dass jede lokale Gruppe von

Christen eine Kirche gründen könne, sofern sie nur eine bindende Verpflichtung einginge, im Dienste der Allgemeinheit und gegenseitiger Unterstützung zu handeln. Eine solche Kirche sollte nicht der Autorität eines Bischofs oder einer klerikalen Instanz unterstellt sein, sondern frei ihre eigenen Regeln aufstellen und ihre eigenen Pfarrer benennen.

Es war eine Konsequenz dieses Bekenntnisses zu autonomen Gemeinden, dass sich die puritanischen Kirchen Neuenglands auf den Weg zu einem einzigartigen Experiment in der Geschichte des Christentums machten. Wie viele Kirchen auch in Europa waren sie ‚bewährt' und etabliert: erhielten Steuereinnahmen und kooperierten mit staatlichen Institutionen. Soziologisch ausgedrückt waren sie „Kirchen" und keine „Sekten". Sie sahen sich in der Verantwortung nicht nur ihren eigenen Mitgliedern, sondern der gesamten Gesellschaft gegenüber, und so entwickelten sie starke Institutionen, einschließlich Harvard, der ersten und einflussreichsten Universität in Amerika. Dies ebnete den Weg auch für den Aufstieg des Unitarismus; denn es war in Harvard, wo die Puritaner die liberalen Ideen der Aufklärung aufzunehmen begannen. Zur selben Zeit waren die puritanischen Kirchen dem Staat eher auf lokaler als auf nationaler Ebene verbunden und unterstanden auch nicht der Autorität von Bischöfen. Das machte es leichter für sie, sich gegen die Autorität von Königen zu wehren. In der puritanischen Tradition zeichnet sich eine Kirche im Gegensatz zu einer Sekte durch die ausdrückliche Bereitschaft aus, sich für politische oder ökonomische Institutionen zu engagieren und sie notfalls auch zu kritisieren.

Noch heute sind Unitarische Universalisten stolz auf ihre Tradition eines unabhängigen Gemeindewesens; nach wie vor befassen sich unsere Studenten mit den Worten der *Cambridge Platform*. Obwohl wir nicht länger Steuerzuwendungen erhalten, ist uns das Wohl der Gesellschaft insgesamt ein wichtiges Anliegen. Viele von uns sind aktiv in der Friedensbewegung, kämpfen für wirtschaftliche Gerechtigkeit, für die Umwelt, für die Rechte von Immigranten und die Freiheit von Personen mit unterschiedlichsten sexuellen Identitäten. In unseren Aktivitäten zeigt sich, dass wir gewissenhafte Erben der Puritaner sind.

2   Amerikanische Revolution und religiöse Freiheit

Das zweite Ereignis in der unitarischen Geschichte Amerikas ist die Geburt des unitarischen Glaubensbekenntnisses nur wenige Jahre nach der amerikanischen Revolution. Frühe Unitarier, und tatsächlich alle Erben der Puritaner, gehörten zu den enthusiastischsten Unterstützern der Revolution, zum Teil weil sie der Anglikanischen Kirche verübelten, wie sie sich in Neuengland neue Geltung zu verschaffen versuchte, zum Teil auch weil sie skeptisch waren gegenüber jeder Art von zentraler Autorität. Entsprechend war die erste Kirche in Neuengland, die sich selbst „unitarisch" nannte, die *Kings' Chapel*, die bis zur Revolution anglikanisch gewesen war. Viele ihrer Mitglieder widersetzten sich der Revolution und wanderten nach Kanada oder England aus. Die Dagebliebenen engagierten einen talentierten jungen Puritaner, James Freeman, der sie überzeugte, folgende beiden Elemente aus ihren Ritualen zu streichen: die Gebete für den König und die Bezüge auf die Dreifaltigkeit. Kurz darauf änderten einige der bekanntesten Pfarrer puritanischer Kirchen ihre Meinung und entwickelten eigene unitarische Vorstellungen; das Ergebnis war die Geburt einer neuen Glaubensgemeinschaft.

Ironischerweise unterstützten die Unitarier die revolutionären Prinzipien der religiösen Freiheit nicht von Anfang an. Diesem Prinzip wurde im ersten Zusatz zur Verfassung der Vereinigten Staaten Ausdruck verliehen, dem *First Amendment*, das besagt, dass der „Kongress keine Gesetze beschließen darf, die religiöse Institutionen betreffen oder ihre freiheitliche Existenz verbieten". Zunächst bezog sich dies nur auf die Regierung der Föderation: Staaten konnten ihre eigenen etablierten Religionen beibehalten; der unitarisch dominierte Staat Massachusetts tat das auch länger als alle anderen Staaten. Die Unitarier wollten ihre Privilegien nicht aufgeben – aber sie wollten auch ihre Verantwortung für das Wohl der Gesellschaft nicht abgeben. Nachdem jedoch die Veränderung der Machtverhältnisse im Jahr 1830 auch Massachusetts erreicht hatte, erkannten die meisten Unitarier deren Wert und fanden neue Wege, ihrer sozialen Verantwortung gerecht zu werden.

Diese Ereignisse prägen bis heute die Praxis der Unitarischen Universalisten. Für uns ist „Demokratie" nicht nur ein politischer oder patriotischer Wert, sondern sie ist ein zentraler Punkt unserer Religion selbst. Wir sind stolz auf die demokratischen Entscheidungsformen, die sowohl die regionalen Versammlungen als auch die Hauptversammlung der gesamten Glaubensgemeinschaft kennzeichnen. Zwar sind weniger als ein Promille der amerikanischen Gesamtbevölkerung Unitarische Universalisten, aber immerhin vier von vierundvierzig US-Präsidenten waren Unitarier. Unitarische Universalisten leisten heute in vielen politischen Institutionen ihren Beitrag, vornehmlich in Bereichen, die sich mit dem demokratischen *Prozess* beschäftigen. In den Staaten Kalifornien und Minnesota beispielsweise arbeiten unitarisch-universalistische Staatssekretäre – in einem Amt also, das verantwortlich ist für die Durchführung von Wahlen; beide haben sich bundesweit verdient gemacht in der Entwicklung von Strategien zur Erhöhung der Wahlbeteiligung und zur Sicherstellung, dass auch tatsächlich jede Stimme gezählt wird. Andere Unitarische Universalisten unterstützen die Redefreiheit und eine möglichst breite Mitwirkung an demokratischen Prozessen etwa durch Organisationen wie die *American Civil Liberties Union* und die *League of Women Voters*, eine aus der frühen Frauenbewegung hervorgegangene Vereinigung, die sich seitdem für die Rechte *aller* Wähler einsetzt. Beide Organisationen wurden von Unitariern im frühen 20. Jahrhundert gegründet.

3   Die Transzendentalisten entdecken den Deutschen Idealismus

Die erste große Kontroverse in der Geschichte der amerikanischen Unitarier vollzog sich in den 1830er und 1840er Jahren, als eine neue Generation von Pfarrern
eine neue Glaubenslehre einführte, die von der Philosophie des deutschen Idealismus inspiriert war. Diese Geschichte begann mit Frederic Henry Hedge, dem Sohn
eines Harvard-Professors für Germanistik, der große Teile seiner Kindheit in
Deutschland verbracht und ausgezeichnete Kenntnisse in dieser Sprache und Kultur erworben hatte. Ich habe ihn eben schon einmal zitiert: Er war es, der darauf
bestand, dass der „Geist" sich immer wieder in „Buchstaben" verkörperlichen
müsse. Als junger Mann teilte Hedge die Auffassungen, die er aus dem deutschen
Idealismus und der deutschen Romantik gelernt hatte, mit seiner Kindheitsfreun-
din Margaret Fuller, der mit Abstand gebildetsten Frau des damaligen Amerika.
Gemeinsam überzeugten sie R. W. Emerson, Theodore Parker und viele andere,
dass man sich ernsthaft mit der Literatur und dem Denken Goethes auseinander-
setzen müsse, mit der Philosophie Kants, Fichtes und Schellings und mit der
Theologie Schleiermachers.

Vorangegangen war die Konzentration amerikanischer Universitäten wie Harvard und anderer auf die empirische Philosophie John Lockes, derzufolge die sinnliche Erfahrung Hauptquelle der Erkenntnis sei. Diese Philosophie leistete einen
wichtigen Beitrag zum religiösen Liberalismus, indem sie den Gebrauch der Vernunft und Rücksicht auf historische Bedingungen bei der Interpretation von Texten empfahl. Auf dieser Basis lehnten die Unitarier dann die Doktrin der Dreifaltigkeit ebenso ab wie die calvinistische Behauptung einer universalen menschlichen
Verderbtheit. Aber der Locke'sche Empirismus hatte auch konservative Eigen-
schaften. Die erste Generation amerikanischer Unitarier sah die Bibel als den allein
maßgeblichen Offenbarungstext an, dessen Autorität durch die Wunder Jesu und
der Apostel legitimiert war. Die Wunder wiederum gewannen ihre Autorität eben
aus ihrer sinnlichen Erfahrbarkeit.

Ausgehend von Kants Philosophie stellten nun die amerikanischen Transzendentalisten diese Idee auf den Kopf. Für sie ergab sich die maßgebliche Autorität
vielmehr aus einer inneren Intuition, nicht aus äußerlichen Wunderzeichen. Weder
Wunder noch Schriftwerke konnten die Offenbarung Gottes übertreffen, die sich
in der menschlichen Seele vollzieht. In der Folge wandelte sich das liberale Christentum der ersten Generation in einen religiösen Liberalismus, der sich nicht mehr
der Geltung einer spezifischen religiösen Tradition zuordnen ließ. Dieser Wandel
machte den Weg frei für die Bewegung des religiösen Humanismus, die im 20.
Jahrhundert aus ihm hervorging. Wie die Transzendentalisten versucht hatten,
religiös zu sein, ohne sich an eine bestimmte historische Gestalt des Christentums
zu binden, so glaubten auch die Humanisten an Gott. Heute verstehen sich nach
wie vor viele Unitarische Universalisten selber als Christen; sehr viel mehr aber
würden sich eher allgemein als Humanisten beschreiben oder als Buddhisten oder

Heiden oder einfach als spirituell Suchende. Was all diese unterschiedlichen Menschen verbindet, ist die Verpflichtung jedes einzelnen, seine oder ihre jeweils eigenen religiösen Überzeugungen *in Freiheit zu erlangen*.

Die Transzendentalisten haben die deutschen Ideen nicht passiv absorbiert, sondern sie kreativ an die demokratischen Ideale des modernen Amerika angepasst. Margaret Fuller beispielsweise liebte Eckermanns Gespräche mit Goethe. Aber Goethe wäre möglicherweise überrascht gewesen über ihre Entscheidung, von ihnen ausgehend Gespräche mit jungen Frauen in Boston zu führen, und zwar in aller Öffentlichkeit, was um diese Zeit für Frauen in Neuengland ein Tabu war. Aber Fuller hoffte, dass ein Anflug der Goethe'schen Gesprächskultur den Frauen die nötigen Kenntnisse und den Mut vermitteln könnte, die sie brauchten, um dieses Tabu zu brechen. Viele der Teilnehmerinnen an Fullers Veranstaltungen wurden zu führenden Persönlichkeiten in dem langen Kampf um das Frauenwahlrecht. Auch Theodore Parker war nicht nur ein brillanter Redner und Gelehrter, der die Einsichten der deutschen historischen Bibelkritik aufgriff, sondern zugleich ein beliebter Prediger, der diese Ideen in der *Boston Music Hall* tausenden von Zuhörern vermittelte. Parkers Gemeinde konnte an einem Sonntag die Grundsätze der historischen Kritik kennenlernen und am nächsten Gedanken zum bewaffneten Widerstand gegen die Sklaverei hören. Parker war einer der nicht wenigen führenden Vertreter des Transzendentalismus, die mithalfen, den amerikanischen Bürgerkrieg als Kampf gegen die Sklaverei zu initiieren, indem sie John Browns Versuch unterstützten, eine große Sklavenrevolte zu entfachen. Andere Transzendentalisten kamen zu der Überzeugung, dass sie Gottes Stimme in der Seele und im Gewissen dann am besten folgen konnten, wenn sie utopische Gemeinden gründeten, in denen alle Menschen zugleich mit den Händen und mit den Köpfen arbeiteten, oder indem sie in den Rhythmus der natürlichen Welt eintauchten. Die transzendentalistische Verbindung deutscher und amerikanischer Ideen und Ideale inspirierte, was man später die *Amerikanische Renaissance* nannte, eine Blütezeit literarischer und philosophischer Kreativität in der Geschichte Amerikas.

Zeitgenössische Unitarische Universalisten halten diesen Geist des Transzendentalismus in unserer heutigen künstlerischen Kreativität und unseren sozialen und ökologischen Aktivitäten lebendig. Die jüngste Hauptversammlung der Unitarischen Universalisten beispielsweise legte, unter dem programmatischen Namen einer „Gerechtigkeitshauptversammlung", den Fokus auf die Rechte von Einwanderern. Der Höhepunkt war eine Demonstration von tausenden von Unitarischen Universalisten vor der Justizvollzugsanstalt, in der Migranten oft ohne Zugang zu einer Rechtsvertretung oder zu ihren Familien gefangen gehalten werden.

4   Glauben für Gebildete

Das vierte konstitutive Ereignis der unitarischen Geschichte ist ihre seit jeher enge
Verbundenheit mit Bildungsinstitutionen. In vielerlei Hinsicht kann man sagen,
dass der amerikanische Unitarismus an der Harvard-Universität geboren wurde.
Die Liebe zum Lernen veranlasste die Puritaner nur wenige Jahre nach ihrer An-
kunft in Massachusetts, eine Hochschule zu gründen; diese Hochschule war es
dann, über die neues Gedankengut aus Europa nach Amerika und in die Ausbil-
dung der Geistlichen gelangte. Im Laufe des gesamten 18. Jahrhunderts gingen
immer mehr in Harvard ausgebildete Pfarrer vom Calvinismus zum Gedankengut
der Aufklärung über. Als Harvard 1805 einen erklärten Unitarier auf seinen wichtigsten Lehrstuhl berief, reagierten orthodoxe Calvinisten entsetzt – und die daraus
resultierende Kontroverse brachte die Unitarier dazu, eine eigene Glaubensgemeinschaft zu organisieren. In den folgenden Jahrzehnten gründeten unitarische
Pfarrer in westlichen Städten neue, unserem liberalen Glauben verpflichtete Schulen und Universitäten. Die meisten davon waren nicht ausdrücklich unitarisch,
sondern sahen sich einem Geist liberaler Toleranz verpflichtet und waren offen für
alle Glaubensrichtungen oder auch für die Möglichkeit, sich gar keiner Glaubens-
richtung anzuschließen. In jedem Fall aber hielten sie die unitarische Absicht lebendig, sich intensiv um Bildung zu bemühen.

Diese Verbindung von Unitarismus und Bildungswesen wurde in den Jahren
nach dem Zweiten Weltkrieg erneuert. Während dieser Zeit förderte die amerikanische Regierung Veteranen, die an einer Universität studieren wollten; Größe und
Anzahl der Hochschulen und Universitäten in Amerika nahmen rasch zu. Zur
gleichen Zeit führten die Unitarier das *Fellowship Movement* ein, das sich zu einer
innovativen Strategie für die Gründung neuer Gemeinden entwickelte. Dieses
Programm erlaubte es kleinen Gruppen von Laien, lokale *Fellowships* zu gründen,
auch wenn sie nicht groß genug waren, um professionelle Pfarrer einzustellen.
Besonders in Universitätsstädten gab es diese Organisationsform. Als ich beispielsweise in Minnesota lebte, gehörte ich einer *Fellowship* an, die von Professoren
der örtlichen Hochschule für Lehramtsstudiengänge gegründet worden war. Viele
dieser Professoren waren aus anderen Teilen des Landes hierher gezogen und waren sehr viel liberaler eingestellt als ihre Nachbarn in den ländlichen Gebieten
Minnesotas. Die *Fellowship* vermittelte ihnen ein Gemeinschaftsgefühl und erleich-
terte zudem eine Verbindung akademischer und religiöser Werte. Obwohl die *Fellowships* klein anfingen, bilden viele von ihnen jetzt die am schnellsten wachsenden
Gemeinschaften innerhalb unserer Bewegung. Weil sie weiterhin wachsen, ist der
Unitarische Universalismus als Ganzes in der Lage, während der letzten zwanzig
Jahre eine konstante Größe zu wahren, während die meisten anderen liberalen
religiösen Traditionen in Amerika rasant an Mitgliedern verlieren.

5 Die Vereinigung des Unitarismus mit dem Universalismus

Ein abschließendes Ereignis in der Geschichte der amerikanischen Unitarier erklärt den etwas merkwürdigen Namen, den wir heute tragen: 1961 vereinigte sich die *American Unitarian Association* mit der *Universalist Church of America*, um die *Unitarian Universalist Association of Congregations* zu bilden. Beide Traditionen teilten seit zwei Jahrhunderten wesentliche liberale Grundsätze. Der Unitarismus war aus der Ablehnung des Trinitätsdogmas hervorgegangen; der Universalismus hatte die Lehre von der Hölle zurückgewiesen; und beide hatten im Laufe ihrer jeweiligen Entwicklung christliche, post- und außerchristliche Strömungen des Liberalismus miteinander zu vereinen. Viele allgemein respektierte Führungspersönlichkeiten waren mit beiden Traditionen eng verbunden. Es dauerte jedoch einige Zeit, ehe eine gemeinsame Organisation entstehen konnte – vor allem weil jede Gruppe ihre eigene, stolze Geschichte erlebt und weil jede dabei sehr unterschiedliche Prägungen erfahren hatte.

Während der Unitarismus von etablierten puritanischen Kirchen abstammt, hatte sich der Universalismus von Beginn an jeder staatlichen Unterstützung von Religion widersetzt. Eine der ersten universalistischen Gemeinden hatte sogar einen Rechtsstreit ausfechten müssen, damit ihre Mitglieder keine Kirchensteuern zu zahlen brauchten; Universalisten waren es auch, die in Massachusetts den erfolgreichen Kampf um eine Änderung der Machtverhältnisse geführt hatten. In derselben Zeit, in der die Unitarier eng mit Hochschulen und Universitäten verbunden waren, tendierten frühe Universalisten zu autodidaktischer Unabhängigkeit. Sie waren entschieden intellektuell, wollten jedoch nicht von Bildungseinrichtungen abhängig sein, die sie in der Gefahr eines unterwürfigen Gehorsams gegenüber traditionellen religiösen Autoritäten sahen. Ein weiterer wichtiger Unterschied hat mit der Weise zu tun, in der Universalisten auf theologische Veränderungen reagiert hatten. Die Unitarier hatten erfolgreich eine in ihren Möglichkeiten breitgefächerte Kirche aufgebaut, die ebenso Raum bot für rebellische neue Ideen wie für den Transzendentalismus deutsch-idealistischer Prägung oder einen atheistischen Humanismus. Der Universalismus produzierte zwar mindestens ebenso viel Rebellentum, seine Rebellen aber wanderten dauerhaft ab. Als Konsequenz erlitt der Universalismus in den sich beruhigenden Zeiten einen stetigen Verlust an Mitgliedern. Er stimmte dem Zusammenschluss mit den Unitariern im Wesentlichen zu, weil es keineswegs gesichert schien, dass er allein überlebensfähig bleiben könnte.

Während der letzten fünfzig Jahre hat das Erbe der Universalisten im erheblichen Maße zur Lebendigkeit des Unitarischen Universalismus beigetragen. Einige der besten Arbeiten, die sich in letzter Zeit mit der Geschichte der Unitarischen Universalisten beschäftigt haben, konzentrieren sich auf den Universalismus, weil diese Tradition in der Vergangenheit vernachlässigt wurde. Der Universalismus hält ein Gegengift gegen einige der problematischen Aspekte des Unitarismus bereit, insbesondere im Hinblick auf dessen ökonomisches und bildungsorientiertes

Elite-Denken. Universalisten betonen, dass die unendliche Liebe Gottes den geistig Suchenden anspricht, und sie fühlen sich abgestoßen von dem, was sie als einen trockenen Rationalismus der Unitarier empfinden. Viele junge Leute, auch viele meiner eigenen Studenten, sehen sich selbst als Universalisten, auch wenn sie in Gemeinden aufgewachsen sind, die aus der unitarischen Seite der Vereinigung hervorgegangen sind. In den letzten Jahren wurden universalistische Glaubenslehren auch von evangelischen Christen wiederentdeckt, die zu der Überzeugung gelangten, dass beispielsweise die Doktrin einer ewigen Verdammnis nicht in der Bibel zu finden sei. Unitarische Universalisten arbeiten konsequent daran, einen Raum für bibeltreue Mitglieder innerhalb ihrer Gemeinschaften zu schaffen, Seite an Seite mit Buddhisten, Heiden, Atheisten.

Geschichtliche Ereignisse wie die hier skizzierten können jeder religiösen Tradition Vorteile bringen. Die meisten religiösen Liberalen würden zu Recht immer noch darauf bestehen, dass die Vergangenheit keine Macht über die Gegenwart haben sollte. Aber eine Vergangenheit, die keine Macht darstellt, kann trotzdem ein Freund sein. Die amerikanischen Unitarier jedenfalls, zu denen auch ich mich zähle, haben unsere puritanischen Vorfahren, unsere transzendentalen Rebellen und unsere universalistischen Schwestern und Brüder dazu gebracht, sehr wertvolle und hilfreiche Freunde für uns zu sein.

Sozinianer und Friedrich der Große – eine Geschichte der Toleranz?

Nikolas Schröder

Unitarismus und Friedrich der Große sind zwei Themenfelder, die auf den ersten Blick nichts miteinander gemein zu haben scheinen. Nur wenigen Historikern ist bekannt, dass Unitarier bereits vor der Regentschaft Friedrichs II. in Preußen lebten.[1] Die dauerhafte Ansiedlung und der Aufbau eigener Gemeinden im Herzogtum Preußen lassen sich ab 1660 nachweisen, als das polnisch-litauische Reich die Unitarier mit Androhung der Todesstrafe bei Nicht-Konversion ins Exil verbannte.[2] Ziel des Aufsatzes ist es, durch überlieferte Dokumente aus der Zeit Friedrichs des Großen den Umgang der preußischen Obrigkeiten mit den Unitariern darzustellen.[3] Dabei stellt sich die Frage, warum die Unitarier nach Preußen auswanderten? Interessanterweise ist dieser thematische Komplex auch anlässlich von Friedrichs 300. Geburtstag nicht neu untersucht worden. Dieser Beitrag ist damit der einzige, der sich diesem Forschungsdesiderat widmet und Friedrich und seine Haltung gegenüber Sozinianern gezielt untersucht. Bis heute wirkt die positive Selbstinszenierung der preußischen Herrscher und insbesondere Friedrichs II. nach, die gerade im populärwissenschaftlichen Bereich weiterhin eine spezifische preußische Toleranzpolitik gegenüber religiösen Gruppen ins Zentrum der Betrachtungen

---

[1] Vgl. Wiebke Wannicke: *Die Vertreibung der Sozinianer aus Polen und ihre Ansiedlung im Reich.* Hamburg 1996, S. 71-75 und 76-87.

[2] Johannes Sembrzycki: *Die polnischen Reformierten und Unitarier in Ostpreußen.* In: *Altpreussische Monatsschrift. Neue Folge.* Bd. 30/1883, S. 1-100.

[3] Vgl. dazu Geheimes Staatsarchiv Preußischer Kulturbesitz (GStA Berlin): XX. HA, EM 38d, Nr. 74.

rückt. Beispiele dafür sind die Hugenotten-Ansiedlung und die Aufnahme der Salzburger Protestanten.[4]

Im Folgenden soll die Fragestellung untersucht werden, ob Friedrichs publizistische und mündliche Äußerungen konträr zu seiner Realpolitik standen. Dazu werde ich im Folgenden einen historischen Abriss über die wichtigsten Daten zur brandenburgisch-preußischen Kirchengeschichte geben und die Ansiedlung der Unitarier in Ostpreußen skizzieren. Daran anschließend werden die Aussagen König Friedrichs II. mit seiner nachweisbaren Realpolitik verglichen.

1   Vom Augsburger Religionsfrieden zur Kirchenunion

Grundlegend für eine in Brandenburg-Preußen besondere, von den europäischen Nachbarn abweichende Religionspolitik wird die Auflösung des *Cuius regio, eius religio*-Grundsatzes[5] angesehen, der seit dem Augsburger Religionsfrieden das Alte Reich bestimmt hatte. So konnte eine Dualität zweier Konfessionen entstehen, denn 1613 konvertierte das Haus Hohenzollern zum Calvinismus, behielt aber gleichzeitig das Summepiskopat über die Lutherische Kirche. Dies führte nach Ansicht älterer Forschung bereits 1615 zu einer eingeschränkten Gewissens- und Bekenntnisfreiheit, die 1616 nochmals bestätigt wurde.[6]

Mit dem Berliner Religionsgespräch 1662 begann eine neue Phase, mit der die reformierte Religion in Brandenburg-Preußen das Übergewicht bekommen sollte. Die 1662 und 1664 verabschiedeten Toleranzedikte, die das Verhältnis von Luthertum und Reformierten zueinander regeln und die Durchsetzung der reformierten Konfession ermöglichen sollten, hatten keine Wirkung und scheiterten letztlich 1667 am massiven Widerstand der lutherischen Stände und des Klerus. Statt der landesherrlich-reformierten Durchdringung mussten die Hohenzollern endgültig die religiöse Dualität ihres Territoriums anerkennen.[7]

1685 folgte das berühmte Edikt von Potsdam, das gerade im populären Bereich den bis heute wirkenden Toleranzmythos Preußens begründete.[8] Tatsächlich geht die Wissenschaft aufgrund des vorherigen Scheiterns religiös-reformierter Durchdringung mittlerweile davon aus, dass die Einladung und Ansiedlung der

---

[4] Neuere Werke hinterfragen die Selbstinszenierung Friedrichs, siehe: Andreas Pečar: *Die Masken des Königs: Friedrich II. von Preußen als Schriftsteller.* Frankfurt a.M. 2016. Siehe insbesondere dazu Gerd Heinrich: *Religionstoleranz in Brandenburg-Preußen. Idee und Wirklichkeit.* In: *Preußen. Beiträge zu einer politischen Kultur.* Band 2. Hg. von Manfred Schlenke. Hamburg 1981, S. 61-88, und Wilhelm Bringmann: *Friedrich der Große. Ein Porträt.* München 2006. Einen guten Überblick über die vertretenen Positionen gibt Jürgen Luh: *Zur Konfessionspolitik der Kurfürsten von Brandenburg und Könige von Preußen (1640-1740).* In: *Ablehnung – Duldung – Toleranz. Toleranz in den Niederlanden und Deutschland, ein historischer und aktueller Vergleich.* Hg. von Horst Lademacher [u.a.] Münster 2004, S. 306-324.
[5] Vgl. dazu M. Hecke: *Cuius regio – eius religio.* In: *Handwörterbuch zur Deutschen Rechtsgeschichte.* Band 1: *Aachen – Haussuchung.* Hg. von Adalbert Erler und Ekkehard Kaufmann. Berlin 1971, S. 651-658.
[6] Heinrich: *Religionstoleranz,* S. 61-88, hier S. 63.
[7] Ebd., S. 73f.
[8] Für das Edikt von Potsdam und seine Folgen siehe insbesondere: Susanne Lachenicht: *Hugenotten in Europa und Nordamerika.* Frankfurt a.M. 2010, hier S. 168ff.

Hugenotten, die wie das Herrscherhaus Reformierte waren, wohl eher der Unterstützung und dem Aufbau der reformierten Religion in Brandenburg-Preußen diente und damit den Höhepunkt der Intoleranz gegenüber der lutherischen Kirche darstellt.[9] Die Entwicklung eines gesetzlich verbrieften Miteinanders verschiedener christlicher Denominationen schließt erst das Wöllnersche Religionsedikt von 1788 ab, zwei Jahre nach dem Tod Friedrichs II., und erst 1817 werden Lutheraner und Reformierte zur Union als Evangelische Kirche zusammenfinden, wie wir sie heute kennen. Sichtbar wird damit aus der bisherigen Forschung, dass die Entwicklung von Toleranzvorstellungen ihren Ausgang vor allem als Aushandlungsprozess zwischen den christlichen Konfessionen hatte. Eine vollständige Gleichstellung aller Glaubensgemeinschaften fand dagegen erst mit der Gründung der Weimarer Republik statt.

2 Die Unitarier in Brandenburg-Preußen

Zu Beginn fast jedes Aufsatzes über Unitarismus findet sich eine Jahreszahl: 1660. Diese steht für den Niedergang des Sozinianismus in Polen-Litauen, verkündet die Vertreibung der Anhänger kreuz und quer ins gesamte übrige Europa und ist gleichzeitig der Beginn des Aufstiegs des Unitarismus.[10] Dass sich vertriebene Gruppen der Unitarier auch in deutschsprachigen Territorien ansiedelten, ist relativ unbekannt, während das Einfließen sozinianischen Gedankenguts oder die Übersiedlung von Unitariern in die Niederlande oder England mittlerweile zum Allgemeingut historischer Forschung gehört.[11]

Sicher nachweisbar ist, dass ab 1660 ein Teil des sozinianischen Adels, der in Polen-Litauen lebte, nach Preußen übersiedelte. Das Glaubensbekenntnis wog anscheinend weit mehr, als die Möglichkeit, Land und Güter durch Rekonversion behalten zu können, was ein eindeutiger Hinweis auf die religiös-politisch aufgeladene Stimmung dieser Zeit ist.[12] Besonders in Masuren konnten sich die Unitarier unter dem Schutz Bogusław Radziwiłłs ansiedeln, der als Statthalter der hohenzollernschen Kurfürsten fungierte. Radziwiłł war reformierten Bekenntnisses und bereits mehrmals für Calvinisten und Sozinianer gegen Städte und Sejm eingetreten.[13] Um den Bogen zu den Sozinianern in Ostpreußen schlagen zu können, ist Samuel von Przypkowski kurz anzuführen. Er wurde 1666 zusammen mit einem von Suchodoletz mit dem Dorf Andreaswalde, in Masuren nahe der polnischen

---

[9] Michel Lausberg: *Hugenotten in Deutschland. Die Einwanderung von französischen Glaubensflüchtlingen*. Marburg 2010, S. 195-197.

[10] Für eine Gesamtübersicht sind immer noch zu empfehlen: Janusz Tazbir: *Geschichte der polnischen Toleranz*. Warschau 1977. Eine gute Übersicht zum Unitarismus bietet Sarah Mortimer: *Reason and Religion in the English revolution. The challenge of Socinianism*. Cambridge 2010.

[11] Vgl. Martin Mulsow: *Socinianism and Arminianism. Antitrinitarians, Calvinists and cultural exchange in seventeenth-century Europe*. Leiden 2005.

[12] Sembrzycki: *Unitarier*, S. 29.

[13] Ebd., S. 27f.

Grenze gelegen, belehnt. Im Verlauf der Jahrzehnte seit 1666 lassen sich weitere bekannte unitarische Familien als Besitzer Andreaswaldes nachweisen, wie die von Sierakowski oder die von Arcziczewski. Diese Familien vergaben die Häuser des Dorfes ausschließlich an Sozinianer, so dass einmalig im deutschen Sprachraum ein rein unitarisches Dorf entstand. Für das Jahr 1722 lassen sich elf unitarische Familien im Dorf nachweisen. Zusätzlich waren umliegende Güter oft ebenso an unitarische Familien vergeben, die, so ist zumindest zu vermuten, jeden Sonntag zum Gottesdienst kamen und Andreaswalde zum unitarischen Hauptort Mitteleuropas – mit Ausnahme Siebenbürgens – werden ließen.[14]

Für die Ansiedlung gab es zwei ausschlaggebende Gründe: zum einen kamen die adligen Unitarier vielfach auf Einladung des kurfürstlichen Statthalters nach Ostpreußen, der ihnen entsprechenden Schutz vor Glaubensverfolgung versprechen konnte. Zum anderen lebte im Amt Rhein, in dem Andreaswalde und fast alle unitarischen Güter lagen, der Freiherr von Hoverbeck, der mit der ebenfalls nach Preußen eingewanderten sozinianischen Familie von Morstein befreundet und kurfürstlicher Gesandter am polnisch-litauischen Hof war und damit die Ausweisung der Unitarier aus Polen-Litauen vor Ort miterlebt hatte.

Nur wenige Quellen und Zeugnisse finden sich über das unitarische Leben in Andreaswalde aus dieser Zeit. Lediglich die massive Verschlechterung der Ansiedlungsmöglichkeiten für Unitarier nach dem Tod Bogusław Radziwiłłs im Jahr 1670 ist bekannt. Danach ist ein weiterer Zuzug mangels Quellen und Literatur nicht mehr feststellbar.[15] Vielmehr zeigen sich schon relativ bald darauf Zeichen des Verfalls. Wohnten, wie bereits oben erwähnt, 1729 elf unitarische Familien in Andreaswalde, so soll die Gesamtzahl aller Unitarier im Jahr 1754 nur noch neunzig betragen haben, davon siebzig wohnhaft in Andreaswalde.[16] 1785 beschreibt uns eine Topographie Ostpreußens Andreaswalde wie folgt: „Gut und Dorf, nebst einem Bethause der Unitarischen Gemeine, 17 Feuerstellen, die Inspektion ist strittig, bis jetzt hat der Pfarrer zu Drygallen sie gehabt."[17] Dies ist neben einem Aktenkonvolut eine der letzten Meldungen, die wir über die Unitarier aus Andreaswalde haben. Bis zum Jahr 1803 hatte sich die unitarische Gemeinde aufgelöst.[18]

Bis zu diesem Zeitpunkt scheinen die Unitarier aus eigenem Unvermögen beziehungsweise aus mangelndem Nachwuchs ihre Gemeinde nicht weiter aufrechterhalten haben zu können. So zumindest ist die Lesart zeitgenössischer Forscher wie Johannes Sembrzycki.

Betrachtet man die offizielle Aktenlage zu den Unitariern, ergibt sich ein anderes Bild. So lassen sich von 1640 bis 1680 allein sechsunddreißig Beschwerden finden,

---

[14] Ebd., S. 27-36.
[15] Ebd., S. 39. Der Autor geht nur auf die Ansiedlung unter Bogusław Radziwiłł ein.
[16] Friedrich Samuel Bock: *Historia Antitrinitariorum*. Band 1. Teil 1. Königsberg 1774, genannt bei: Sembrzycki: *Unitarier*, S. 39.
[17] *Vollständige Topographie des Königreichs Preußen. Erster Teil. Topographie von Ostpreußen.* Hg. von Johann Friedrich Goldbeck. Königsberg/Leipzig 1785. Nachdruck Hamburg 1990, hier *Vollständige Topographie vom Litthauischen Cammer-Departement*, S. 3.
[18] Sembrzycki: *Unitarier*, S. 40.

die sich auf in Brandenburg-Preußen lebende oder wirtschaftende Sozinianer be-ziehen.[19] Mit der offiziellen Einwanderung ab 1660 wurde vermehrt von den Land-ständen auf das sogenannte „Sozinianer-Problem" aufmerksam gemacht. Schon 1661 berichten die Stände in einem „Bedenken über die übrigen Punkte der kur-fürstlichen Propositionen", dass „Arianer, die von Polen vertrieben sich im Ober-lande niederlassen…".[20] Bereits im selben Eintrag wird der Kurfürst aufgefordert, die Sozinianer aus dem Land zu weisen: „welche aber einer ärgerlichen verbotenen Religion zugethan gänzlich excludieret und zu keiner Possession gelassen wer-den".[21] Und am 2. Dezember 1670 wurde öffentlich verkündet: „Ein Edikt gegen die Arianer und Juden geht den Ständen gleichzeitig zu. […] Sie legten ein Edikt gegen die Arianer, das Landesräumung innerhalb von zwei Jahren […] befiehlt."[22]

Zusammengefasst bedeutet dies: die Landstände empfanden die Sozinianer als Gefahr, protestierten kontinuierlich gegen sie und forderten deren Ausweisung beziehungsweise ein Edikt zur Ausweisung. Der Kurfürst hingegen wartete die Eingaben ab und entwarf letztlich ein solches Edikt, das er dann doch nie ausferti-gen ließ.

An diesem Beispiel wird deutlich, dass Sozinianer in Preußen trotz namhafter Unterstützer nicht bedingungslos akzeptiert und toleriert wurden. Ist die Wirksam-keit ständischer Forderungen in diesem Kontext durchaus zu hinterfragen, so zeigt eine andere Maßnahme, dass auch die hohenzollernschen Herrscher den sozinia-nischen Untertanen nicht nur Sicherheit versprachen. So erließ König Friedrich Wil-helm I. eine Verfügung, in der den Unitariern in Brandenburg verboten wurde, sich als „unitarisch" zu bezeichnen, sie sollten sich stattdessen als „die wegen ihrer besonderen Religion aus Polen Vertriebenen"[23] bezeichnen. An diesem Beispiel ist sehr gut sichtbar, zu welchen Konditionen die Hohenzollern bereit waren, Unitari-er zu dulden: erblicher Besitz war den Unitariern untersagt,[24] ein Toleranzpatent, wie es andere religiöse Minderheiten erhielten, fehlte für die Unitarier und auch eine Eigenbezeichnung war nicht gestattet. Stattdessen sollte man sich so bezeich-nen, dass man den Ruhm des Hauses Hohenzollern als das toleranteste Europas mehrte.

Aus den oben angeführten Punkten ergibt sich, dass die landesherrliche Positi-on der Hohenzollern trotz aller Restriktionen von dem Willen geleitet wurde, Un-

---

[19] Siehe dazu *Urkunden und Actenstücke zur Geschichte des Kurfürsten Friedrich Wilhelm von Brandenburg*. 10. Band: *Ständische Verhandlungen 2 (Mark Brandenburg)*. Hg. von Siegfried Isaacsohn. Berlin 1880; *Urkun-den und Actenstücke zur Geschichte des Kurfürsten Friedrich Wilhelm von Brandenburg*. 16. Band: *Ständische Verhandlungen 3 (Preußen, 2. Band, 1. Teil)*. Hg. von Kurt Breysing. Berlin 1894; *Urkunden und Actenstü-cke zur Geschichte des Kurfürsten Friedrich Wilhelm von Brandenburg*. 16. Band: *Ständische Verhandlungen 3 (Preußen, 2. Band, 2. Teil)*. Hg. von Martin Spahn. Berlin 1899. Auch Sembrzycki erwähnt die Be-schwerden in: *Unitarier*, S. 29.
[20] *Bedenken der Stände über die übrigen Punkte der kurfürstlichen Proposition, präsentiert Königsberg 12. Juli 1661*, abgedruckt in: Breysing: *Urkunden*, S. 522.
[21] Ebd., S. 526.
[22] Aus Croys Tagebuch vom 24. Dezember 1670. In: Spahn: *Urkunden*, Auszug S. 676.
[23] Theodor Wotschke: *Die unitarische Gemeinde in Meseritz-Bobelwitz*. In: *Zeitschrift der Historischen Gesell-schaft für die Provinz Posen* 1911, S. 161-223, hier S. 219, Anmerkung 3.
[24] Sembrzycki: *Unitarier*, S. 29.

tertanen nicht zu vertreiben, aber auch nicht als Untertanen in das territoriale Ge-
bilde einzufügen. Gerade nach dem Dreißigjährigen Krieg wissen wir durch die
Hugenottenansiedlungen von 1685, dass Brandenburg-Preußen eine Peuplierungs-
politik forcierte, da das Land bevölkerungsmäßig ausgeblutet war. Dennoch lassen
sich große Unterschiede im Umgang mit den verschiedenen religiösen Gruppen
feststellen. So hat es ein den Hugenotten vergleichbares Ansiedlungsedikt für Sozinianer nicht gegeben. Deren Ansiedlung beruhte auf der Förderung durch Personen der zweiten Reihe im Regierungsapparat. Die Ansiedlung der Unitarier in
Brandenburg und Preußen ist daher als wirtschaftlich-motivierter Bevölkerungs-
zuwachs zu werten.

3   Friedrich II. und die Religionen

Über Friedrichs Umgang mit Minderheiten und Andersgläubigen ist gerade in den
letzten Jahren viel geschrieben worden. Alle diese Werke beziehen sich jedoch auf
Minderheiten, die in Europa häufiger anzutreffen sind wie Katholiken, Juden und
Mennoniten.[25] Kein Werk hat sich bisher mit Friedrichs Politik in Bezug auf eine
so außenstehende Gruppe wie den Sozinianern und Unitariern befasst.

   Zur Toleranzforschung, der ich hier nicht ansatzweise gerecht werden kann, ist
zu sagen, dass diese sich über die Aufklärung von einer „duldenden" Form weiter
entwickelte bis hin zu unserem heutigen Verständnis von Toleranz.[26] Wichtig wurde nach Voltaire vor allem die Überwindung der Intoleranz, das Schaffen einer
einheitlichen Vernunftreligion, die Vernunft als Terminus technicus an sich und
die Entwicklung einer Vorstellung von Gewissensfreiheit. Dass es dabei immer
wieder Ausnahmen von dieser Definition gegeben hat und diese somit nicht in
einem heutigen Sinne als Akzeptanz aller fremden Weltanschauungen gegolten hat,
belegt schon die Judenfeindlichkeit Voltaires.[27]

   Friedrich aber gilt als Paradebeispiel eines toleranten Fürsten.[28] Seine Aussagen
sind oft zitiert und stehen zumeist für sich. Eine der wichtigsten Aussagen stammt

---

[25] Zum Thema der Juden siehe: Tobias Schenk: *Wegbereiter der Emanzipation? Studien zur Judenpolitik des
„Aufgeklärten Absolutismus" in Preußen (1763-1812)*. Berlin 2010. Für die Katholiken: Hans-Wolfgang
Bergerhausen: *Friedensrecht und Toleranz. Zur Politik des preußischen Staates gegenüber der katholischen Kirche in
Schlesien 1740-1806*. Berlin 1999. Für die Mennoniten: Hans-Jürgen Bömelburg: *Konfession und Migration
zwischen Brandenburg-Preußen und Polen-Litauen 1640-1772. Eine Neubewertung*. In: *Glaubensflüchtlinge. Ursa-
chen, Formen und Auswirkungen frühneuzeitlicher Konfessionsmigration in Europa*. Hg. von Joachim Bahlcke.
Berlin 2008, S. 119-144, hier S. 129-132. Siehe ebenfalls ders.: *Zwischen polnischer Ständegesellschaft und
preußischem Obrigkeitsstaat. Vom königlichen Preußen zu Westpreußen (1756-1806)*. München 1995, hier
S. 445-461.
[26] Für die Entwicklung der Toleranz siehe: Rainer Forst: *Toleranz in Konflikt. Geschichte, Gehalt und
Gegenwart eines umstrittenen Begriffs*. Frankfurt a.M. 2003.
[27] Um seine grundsätzliche Haltung zu Minderheiten nachzuvollziehen empfiehlt sich der Nachdruck
seines Aufsatzes im *Dictionnaire philosophique* (1764) und des *Traktats über die Toleranz* (1763): Ingrid
Gilcher-Holtey: *Voltaire. Die Affäre Calas*. Berlin 2010.
[28] Vgl. dazu Günter Birtsch: *Friedrich der Große und die Aufklärung*. In: *Friedrich der Große in seiner Zeit*.
Hg. von Oswald Hauser. Köln/Wien 1987, S. 31-46; Bringmann: *Friedrich der Große* und Heinrich:
Religionstoleranz, S. 83-118.

aus seinem *Politischen Testament* von 1752: „Alle anderen christlichen Sekten werden in Preußen geduldet. Dem ersten, der einen Bürgerkrieg entzünden will, schließt man den Mund und die Lehren der Neuerer werden der verdienten Lächerlichkeit preisgegeben."[29] Eine weitere Aussage findet sich in den *Denkwürdigkeiten des Hauses Brandenburg* aus dem Jahr 1746: „Der falsche Eifer ist ein Tyrann, der Länder entvölkert, die Toleranz ist eine zärtliche Mutter, die für ihr Wohlergehen und Gedeihen sorgt."[30] Das sicherlich bekannteste Zitat ist: „Die Religionen Müsen alle Tolleriret werden und Mus der fiscal nuhr das auge darauf haben, das keine der andern abruch Tuhe, den hier mus ein jeder nach Seiner Fasson Selich werden", welches 1740 von ihm als Randvermerk niedergeschrieben wurde.[31]

3.1 Friedrichs Auseinandersetzung mit den Sozinianern

Widmet man sich der Frage nach der Kenntnis Friedrichs über die Sozinianer, so wird deutlich, dass er schon durch Voltaire über die englischen Sozinianer informiert worden war. Sie waren dem „Aufklärer auf dem Thron" also bekannt, bevor sie sich im Februar 1776 an ihn wandten.

Aber nicht nur das: Aus seinen Briefen wissen wir, dass er sich auch grundsätzlich mit dem sozinianischen/unitarischen Glaubenskonstrukt auseinandergesetzt hatte. In einer Diskussion um die Befreiung des Menschen aus seinen Irrtümern vom 24. Oktober 1766 schrieb Friedrich: „Sie meinen, weil die Quäker und Sozinianer eine einfache Religion begründet haben, ließe sich durch noch größere Vereinfachung ein neuer Glaube auf dieser Grundlage aufbauen?"[32]

Voltaire nannte die Sozinianer 1773 in seiner Korrespondenz an Friedrich ebenso: „Ich bedaure, daß Sie keine Kirche für die Sozinianer errichten, so wie Sie mehrere für die Jesuiten bauen. Dabei gibt es doch noch Sozinianer in Polen; in England wimmelt es von diesen Leuten, und in der Schweiz haben wir auch welche. [...] Da sie zudem von den Polen verfolgt worden sind, haben sie einiges Anrecht auf Ihren Schutz."[33] Hatte Voltaire schon eine Ahnung, wie Friedrich tatsächlich dachte oder bezog er sich auf uns nicht mehr überlieferte Akten? Denn nur drei Jahre nach diesem Brief beginnt die Akte, in der die Unitarier aus Andreaswalde am 28. Februar 1776 Friedrich um die Erlaubnis zum Bau einer Kirche oder eines sich auszeichnenden Bethauses und einer Kollekte für diese bitten. Dort heißt es:

---

[29] Zitiert nach: Friedrich II. von Preußen: *Das Politische Testament (1752)*. In: *Die Werke Friedrichs des Großen. In deutscher Übersetzung*. Hg. von Adolph von Menzel. Band 7. Berlin 1912, S. 149.

[30] Zitiert nach: Friedrich II. von Preußen: *Denkwürdigkeiten zur Geschichte des Hauses Brandenburg*. In: *Die Werke Friedrichs des Großen. In deutscher Übersetzung*. Hg. von Adolph von Menzel. Band 1. Berlin 1913, S. 201.

[31] Zitiert nach: Max Lehmann: *Preußen und die katholische Kirche seit 1640. Nach Acten des Geheimen Staatsarchives. 2. Theil 1740-47*. Leipzig 1881, S. 4*.

[32] Zitiert nach: Walter Mönch: *Voltaires Briefwechsel mit Friedrich dem Großen und Katharina II. Berlin 1944*, bearbeitet von Roland Welcker. Leipzig 2009, S. 85. Online abrufbar unter: http://www.welcker-online.de/Texte/Voltaire/Friedrich/friedrich_II.pdf.

[33] Zitiert nach: Ebd., S. 116.

Gleichwie nun diesen Einschränkungen der Preussischen Geistlichkeit Gelegenheit gaben, den Leuten einen desto verhaßteren Begriff von uns und
unserer Religion beyzubringen, und uns in die Klasse der Juden und Heyden
zu setzen; ohne an andere Chicanen, womit sich gleichwohl noch in den
letzteren so erleuchteten Zeiten [...], so haben sie viel unserer Vorfahren ge-
nöthigt, Theils wieder nach Pohlen zurückzugehen und die Religion zu ändern, Theils weiter nach Holland, England und Siebenbürgen zu fliehen, denen aber die hier geblieben sind, den Weg verleget, ihre Capitalien zu nutzen[34]

und „zugleich allerunterthänigst bitten [...], statt des alten baufälligen ein ordentli-
ches Bethaus oder Kirche zum öffentlichen Religions Exercitium bauen [...] solches aber aus eigenen Mitteln zu erwürken nicht vermögen".[35] Weiter baten die
Unitarier: „uns ein der andern Religions-Verwandten ihrem gleichendes freyes
Religions Exercitium durch öffentliche Befehle zu verstatten"[36] und:

Kraft jener Verordnungen wurden uns nur wie wohl sich gar nicht aus-
zeichnende Bethhäuser zur Verrichtung unseres Gottesdienstes erlaubt; es
wurde uns verboten, Leute anderer Confessionen demselben beywohnen zu
lassen, Religions Dispute zu halten, Bücher drucken zu lassen und solche
anderen zu communicieren; es wurde uns gewehret Güter erblich zu aquirie-
ren, und wir wurden von allen öffentlichen Ämtern, Ehrenstellen, Zünften
und anderen Beneficiis ausgeschlossen [...].[37]

Daraus ergeben sich folgende Punkte:
1) Die Sozinianer hatten bis zu dieser Anfrage, sechsunddreißig Jahre nach Friedrichs Herrschaftsbeginn kein eigenes Religionsexerzitium, wie es Lutheraner, Reformierte und Katholiken besaßen, das ihnen die Rechte der Religionsausübung
zusicherte. Selbst Juden waren im Einzelvergleich durch Privilegierungen teilweise
besser gestellt, wenn auch sie als Gesamtgruppe vergleichbaren Restriktionen un-
terworfen waren.[38]
2) Unitariern war es untersagt, Nicht-Mitglieder an ihrer Religion teilhaben zu lassen, womit sie de facto keinen physischen oder geistigen Zuwachs erhalten konnten. Des Weiteren war es ihnen untersagt, Religionsdispute zu halten oder Bücher
zu drucken und somit in einen religiösen Dialog einzutreten.
3) Drittens waren ihnen der Landbesitz und die Annahme von Ehrenstellen grundsätzlich untersagt, wodurch eine dauerhafte Eingliederung in das territoriale System
unmöglich gemacht wurde.

---

[34] Zitiert nach: GStA, XX. HA. Em 38d, Nr. 74, S. 2-3.
[35] Zitiert nach: Ebd.
[36] Zitiert nach: Ebd., S. 1-2.
[37] Zitiert nach: Ebd., S. 2.
[38] Vgl. dazu Schenk: *Juden.*

4) Aus der Perspektive der Unitarier fühlten sie sich in die „Klasse der Heiden und Juden" degradiert, auch dies ist keine positive Einschätzung für die Politik Friedrichs.

5) Zuletzt beschrieben die Unitarier ihre langsame Verarmung durch die Unmöglichkeit aus Polen mitgebrachte Kapitalwerte langfristig anzulegen und baten daher Friedrich nicht nur um die Erlaubnis zum Bau einer neuen Kirche, sondern auch noch um eine Spende für diesen Bau.

Im Folgenden schlug Friedrich, der jeden „nach seiner Façon selig werden" lassen wollte und angekündigt hatte, für jede Religion eine Kirche zu stiften, dieses Anliegen am 26. Februar 1776 mit den Worten ab, „dass diese Collecte nicht nachgegeben werden könne […] erweldte Gemeinde auch bey dem exercition ihrer Religion beobachten müsse […] nach welcher derselbe nicht erlaubet ist, eine Kirche, sondern nur ein sich nicht auszeichnendes Bethaus zu haben".[39] Mit dieser Resolution lehnte Friedrich II. also den Bau einer unitarischen Kirche und eine Geldsammlung für die Unitarier ab. Besonders aber ist die Begründung, mit der der König in kurzen, knappen Worten die Unitarier auf ihre rechtliche Situation hinwies und auch nichts unternahm, um diesen rechtlichen Status zu verändern. Betrachtet man allerdings dieses Schreiben vor dem Hintergrund seiner, Voltaire gegenüber geäußerten, Bemerkung aus dem Jahr 1773, so scheint die hier dargestellte Resolution die konsequente Umsetzung seiner Politik zu sein. Bereits Voltaire ging von einer ablehnenden Haltung Friedrichs bezüglich eines Kirchbaus für Sozinianer aus. Es muss noch ungeklärt bleiben, woraus Voltaire seine Schlüsse über Friedrichs Haltung gezogen hatte. Möglicherweise fehlen hier Akten oder Briefe. In diesem Kontext ist zu fragen, ob es bereits einen früheren Antrag der Unitarier gegeben hatte, der nicht überliefert ist und auf den sich Voltaire beziehen konnte?

3.2 Friedrichs Kehrtwende?

Die Antwort der Sozinianer folgte schon bald am 30. Mai desselben Jahres:

> folglich unsere Religion, wie vor so nach im Dunkelen zu exerciren gebothen hat, so fliehen wir zu Ewer königlichen Majestät…. [zu] gestatten allenthalben, dass eine christliche Religion, die weder Erbsünde noch Genugtuung, noch Gefangennehmung der Vernunft statuiret und deshalb den Landesherrn ungleich getreuere Unterthanen als andere zu bilden im Stande ist, nicht als eine schädliche Religion, wie bishero, im Dunkelen, sondern als eine nützliche von nun an öffentlich exerciret werde könne.[40]

---

[39] Zitiert nach: GStA, XX. HA. Em 38d, Nr. 74, S. 4.
[40] Zitiert nach: Ebd., S. 6.

Hier folgte also ein Appell an die Vernunft einer christlichen – gemeint ist die unitarische – Religion sowie an die Treue als Untertanen der preußischen Krone. Das Vegetieren im „Dunklen" und damit das „Unnütz sein", also nicht zu der erleuchteten Zeit Friedrichs beitragen zu können, wird zum zentralen Moment und Argument des zweiten unitarischen Schreibens.

Darauf erfolgte die Kehrtwende Friedrichs. Er schrieb am 29. Juni an den Etatminister von Zedlitz: „nach meinem Euch bekannten Principiis für die Tolerantz [...] die Erbauung einer Kirche wohl nachgeben, die nachsuchende Collecte kann nicht verstattet werden, weil niemand dazu einigen Beytrag thun wird."[41] Mit anderen Worten: Friedrich erlaubte den Kirchbau aufgrund der genannten Argumente, mochte dieses Projekt aber nicht persönlich oder grundsätzlich durch eine Spende unterstützen. Außerdem ging er auch nicht davon aus, dass die preußisch-brandenburgischen Protestanten den Bau unterstützen würden.

„Wenn Türken und Heiden kämen und wollten das Land bevölkern, so wollen wir ihnen Moscheen und Kirchen bauen".[42] Dieses ebenfalls sehr berühmte Zitat wird, wie die schon genannten Zitate, gerne als Beweisführung für Friedrichs Toleranzpolitik angeführt. Deutlich gemacht werden konnte an diesem Beispiel, dass tatsächlich ein deutlicher Unterschied zwischen der Realpolitik und den theoretischen Aussagen Friedrichs klaffte.

Fasst man die Akten zusammen, so ergibt sich ein für die Unitarier kaum verändertes Bild. Unter Friedrich II. bekamen die Sozinianer zwar ein Patent für einen Kirchbau. Aber wie sollten die verarmten und an der Partizipation am Gemeinwesen massiv behinderten Sozinianer diesen bewerkstelligen? Bot das Verbot einer Geldsammlung nicht letztlich eine effektive Methode, um eine Bauunternehmung zu verhindern? Denn trotz der Darstellung als arme, rechtlose und religiös Unterdrückte war Friedrich nicht bereit, auch nur ein einziges der jahrhundertealten und überkommenen Gesetze, die die Unfreiheit der Unitarier in Preußen dokumentierten, zu verändern. Und so scheint es nicht verwunderlich, wenn sich die Gemeinde ungefähr dreißig Jahre später auflöste.

*

Aus den dargestellten Ereignissen lässt sich festhalten, dass Friedrich II. nicht geneigt war, religiöse Verordnungen zu verändern, wie die grundsätzliche Absage für Bau und Kollekte an die Unitarier beweist. Erst ein erneutes Bittschreiben, in dem die Sozinianer ihre Situation beschrieben, die Verordnungen ausdeuteten und sich selbst als christliche Religion darstellten, führte zur Bereitschaft Friedrichs, sich überhaupt erst näher mit dieser Thematik zu befassen und schließlich die Erlaubnis für den Bau zu geben.

---

[41] Zitiert nach: Ebd.
[42] Lehmann: *Preußen*, S. 3*.

Statt einer Toleranzpolitik zeigt sich hier das Bild einer restriktiven Politik, die jedwede Veränderung ablehnte. Die Weigerung, seine Untertanen rechtlich gleichzustellen, wiegt viel zu schwer, als dass man hier von irgendeiner Form von Toleranz, sei sie nun individuell, kollektiv oder religiös messbar, sprechen kann.

Betrachtet man Friedrich im Kontext neuerer Forschungen, so wissen wir, dass er seine mosaisch-gläubigen Untertanen finanziell regelrecht auspresste. Außerdem enteignete er Bistümer der Katholiken, und wandelte diese überwiegend in staatliche Domänen um.[43] Zum Umgang Preußens mit den Mennoniten kann zusammengefasst gesagt werden, dass sie freiwillig in den 1790er Jahren Friedrichs neu erobertes Westpreußen verließen.[44]

So ergibt sich ein detailliertes Bild davon, dass Preußen und Friedrich wohl nie so tolerant in der Religionsfrage gewesen waren, wie sie bisher dargestellt wurden. Den Abschluss dieses Themenkomplexes bildet übrigens das schon erwähnte Wöllnersche Toleranzedikt von 1788, in dem die Unitarier explizit ausgegrenzt wurden.[45] Auch das Allgemeine Landrecht von 1794 hätte die Situation der Unitarier unter diesen Bedingungen nicht verändert.

Für die Unitarier, aber auch grundsätzlich, ist eine weitergehende Erforschung der Haltung Friedrichs gegenüber den im Land vorhandenen Religionsgruppen zu wünschen und dringend notwendig. Sie können, wie an diesem Beispiel gezeigt, zu einer großen Revision der bisherigen Meinungen führen. Ein Gegenbeispiel dafür ist die Studie Uta Wiggermanns, die trotz ihrer Aktualität keinerlei Repressalien gegenüber Sozinianern feststellen konnte und somit erneut den Toleranzmythos weiterträgt.[46]

Die restriktive Haltung Friedrichs war der Endpunkt, der zum Aussterben der Unitarier in Deutschland beitrug. Ironischerweise gründete sich die älteste heute bestehende Gemeinde 1845, neununddreißig Jahre nachdem die Gemeinde von Andreaswalde sich aufgelöst hatte.

---

[43] Bömelburg: *Ständepolitik*, S. 237-244.
[44] Ebd., S. 445-461.
[45] *Woellnersches Religionsexerzitium*, abgedruckt in: *Die evangelische Kirche der Union. Ihre Vorgeschichte und Geschichte*. Hg. von Walter Elliger. Witten 1967, S. 190.
[46] Uta Wiggermann: *Woellner und das Religionsedikt. Kirchenpolitik und kirchliche Wirklichkeit im Preußen des späten 18. Jahrhunderts*. Tübingen 2010, S. 138.

Charles William Wendte als interreligiöser Brückenbauer

Michael Sturm-Berger

1 Unitarier beim Weltkongress in Berlin 1910

Das Thema dieser Tagung beschäftigt mich schon seit einiger Zeit. Um es genau zu sagen: seit wir in Berlin die Jubiläums-Feier aus Anlass von *100 Jahren interreligiöse Konferenzen in Berlin und Deutschland* vorbereiteten. Diese erste größere Konferenz in Deutschland mit interreligiösen Anteilen war der *Fünfte Weltkongress für freies Christentum und religiösen Fortschritt* im Jahre 1910.

Zunächst hatten wir sehr mit der Organisation dieser Veranstaltung zu tun. Allmählich aber schälten sich bei Lektüre des 814 Seiten starken Kongressbandes immer mehr die Personalfragen heraus: Wer hatte diesen gewaltigen Kongress mit über zweitausend angemeldeten und mehreren tausend spontanen Teilnehmern überhaupt organisiert? – Die Hauptlast auf deutscher Seite scheinen der Protestantenverein und die „Freunde der christlichen Welt" getragen zu haben, welche bis 1941 ihre eigenen Zeitschriften herausgaben, dann aber vom Nazi-Regime mundtot gemacht wurden.

Teilnehmer beim Berliner Weltkongress war übrigens auch Rudolf Walbaum (1869-1948), damals Prediger der Religionsgemeinschaft freier Protestanten in Rheinhessen (gegr. 1876), welcher in Alzey, südwestlich von Mainz, residierte. Er lernte beim Berliner Weltkongress die Unitarier aus den USA, Großbritannien und Ungarn bzw. Siebenbürgen kennen. 1911 fügte Walbaum seiner Zeitschrift *Der Freiprotestant* den Untertitel *Deutsch-unitarische Blätter* hinzu. Es gibt also eine Verbindung zwischen dem 1910er Kongress und den modernen Unitariern in Deutschland. Der nun als Thema gewählte Charles W. Wendte soll damals jedoch Bremen als „die unitarischste aller deutschen Städte" bezeichnet haben.[1]

Wer aber waren die damaligen Unitarier, jene Mitorganisatoren des Weltkongresses in Berlin? – Dessen internationaler General-Sekretär war der unitarische Pfarrer Dr. Charles William Wendte. Weshalb war es dazu gekommen, dass ein amerikanischer Unitarier die Ausrichtung eines religiösen Weltkongresses in Deutschland betrieb?

2   Herkunft, Kindheit und Jugend C. W. Wendtes

Zunächst erscheint bemerkenswert, wenn auch nicht außergewöhnlich, dass die Eltern von Charles W. Wendte aus Deutschland, aus dem damaligen Königreich Hannover stammten. Ihre Hochzeitsreise verbanden sie kurzerhand – vielleicht schon etwas ungewöhnlicher – im Herbst 1842 mit ihrer Auswanderung in die USA – per Segelschiff über Bremen und New York nach Boston.

Wir sind über diese Geschehnisse relativ gut informiert, weil Rev. Dr. Wendte im Alter von 83 Jahren eine über 1200-seitige Autobiografie in zwei Bänden veröffentlichte, die er *The Wider Fellowship* nannte, also etwa: „Die umfassende Gemeinschaft". Sie bemerken vermutlich schon meine Begeisterung für das Lebenswerk dieses Mannes – und das hat viele Gründe.

Doch kehren wir noch einmal kurz zu seinen Eltern zurück, welche beide protestantisch erzogen waren. Im Mai 1843 gingen sie in Boston spazieren, als sie eine Kirche mit offenen Türen und feierlicher Orgelmusik erreichten.[2] Seine spätere Mutter fühlte sich hingezogen und sein späterer Vater schlug vor hineinzugehen. Während sie damals noch kaum Englisch verstand, hörte er gut zu und war von der Predigt entzückt, weil sie ihm so vernünftig erschien.

Sie können sich jetzt schon denken, dass es eine unitarische Kirche war, in welche die Eltern in spe – ob durch Zufall oder Fügung – hineingeraten waren. Jedenfalls ging das Paar immer wieder in diese Kirche zum Sonntagsgottesdienst. Als schließlich ein Jahr später ihr erster Sohn Charles William am 11. Juni 1844 in Boston geboren wurde, erklärte sein Vater Carl: „Wir werden ihn zu einem unitarischen Geistlichen machen."[3]

Aber für Wendte war der Weg nicht ganz so einfach, wie man denken könnte, denn sein Vater starb bereits im Jahre 1848, als seine Söhne knapp vier und zwei Jahre alt waren. Ihre junge, verwitwete Mutter Johanna arbeitete bald darauf als Lehrerin für deutsche Sprache und Literatur, um für Charles und seinen jüngeren Bruder William sorgen zu können. Im Frühling 1861 zog sie mit ihren Söhnen

---

[1], Elke Schlinck-Lazarraga: *Wiedergeburt schöpferischer Religion im Weltbund für religiöse Freiheit; I. Geschichte des Weltbundes.* Norderstedt Juni 1975, S. 79.
[2] C. W. Wendte: *The Wider Fellowship. Memories, Friendships, and Endeavors for Religious Unity 1844–1927.* 2 Bände. Boston, Mass. 1927, hier Bd. 1, S. 14f. – Alle englischsprachigen Texte wurden vom Autor selber übersetzt.
[3] Ebd., S. 16.

nach San Francisco, wo Charles alsbald im dortigen Hafenamt eine Anstellung fand. Er lernte in San Francisco den unitarischen Pfarrer Thomas Starr King (1824-1864) kennen, welcher ihn offenkundig entscheidend darin beeinflusste, selber unitarischer Geistlicher zu werden, wie sein Vater es angekündigt hatte. Rev. T. S. King ist noch heute in den USA eine gewisse Berühmtheit, weil er im amerikanischen Bürgerkrieg für die Einheit des Staatenbundes eintrat, weshalb er als Nationalheld gilt und manchmal sogar als „Redner, welcher die Nation rettete" bezeichnet wird.

Abbildung 1: Charles W. Wendte 1868
(aus: *The Wider Fellowship*, Bd. 1, S. 192)

3 Theologische Ausbildung und erste interreligiöse Eindrücke

Seinen ersten größeren Überblick zu Entstehung und Wesen der Religion, zur Rolle von Vernunft und Gewissen erhielt Wendte nach eigener Aussage durch den aus Frankreich stammenden, ehemaligen katholischen Geistlichen Professor Charles F. B. Miel (1817-1902). Nachfolgend (1866-1869) studierte er an der *Meadville Theological* und der *Harvard Divinity School* in Boston unitarische Theologie. Bei dortigen Auseinandersetzungen zwischen konservativen und „radikalen" Unitariern neigte Wendte deutlich den „Radikalen" zu, stand deshalb zeitlebens Glaubensbekenntnissen skeptisch gegenüber.

Rev. Dr. James Freeman Clarke (1810-1888), eine Gründerfigur seines Faches, machte ihn in der Vergleichenden Religionswissenschaft tiefer mit Judentum, klassisch-antiken Religionen, Brahmanismus, Islam und deren Beziehungen zur Lehre der Evangelien bekannt. Er vermittelte ihm dazu auch die Kunst der Selbstbeherrschung, wie Wendte später selber schrieb. So beschäftigte sich der Student bereits damals mit der Lehre des reform-hinduistischen *Brahmo Samaj* (gegründet 1828) und gegen Ende seines Studiums mit dem deutsch-schweizerischen *Protestantenverein*, welcher 1863 gegründet worden war. Er übersetzte nach eigenen Angaben dazu 1869 (?) einen Artikel für die Unitarier-Zeitschrift *Christian Register* aus dem Deutschen ins Englische.

Neben den unitarischen Kirchen verschiedener Länder sollten *Brahmo Samaj* und der *Protestantenverein* ihn noch viele Jahre bei seinen internationalen und interreligiösen Bestrebungen begleiten. Im Juni 1869 bestand er sein Examen und erhielt im selben Jahr eine Pfarrstelle in Chicago (Illinois). Dort beobachtete Wendte nach einem Großfeuer 1871 solidarische Aktionen der verschiedenen Religions-Gemeinschaften:

> Aus der Mitte des Gedränges heraus kamen zwei Männer hervor, der eine ein wohlbekannter Priester der benachbarten katholischen Kirche, der andere der Rabbiner einer jüdischen Gemeinde. Mit ihrer Hilfe wurde die Aufgabe der Verteilung einfacher gemacht. Es war entzückend zu sehen, wie in dieser Stunde höchster Bedürftigkeit alle sektiererischen Differenzen vergessen waren. Der Priester hielt einen Schinken, von welchem der Rabbiner Scheiben für die hungrigen Armen abschnitt, ganz uneingedenk der alttestamentlichen Einschärfung des verbotenen Schweinefleisches, während die protestantischen Geistlichen fühlten, indem sie das Brot an ihre bedürftigen „Brüder" austeilten, geweiht durch menschliche Liebe, dass es ein sakramentaler Akt war, dessen Wert keiner anzweifeln konnte. Unsere gemeinsame Katastrophe und Sorge machte uns alle einig in Glauben, Hoffnung – und die Nächstenliebe ist die größte von allen. Es war eine schöne Prophezeiung einer besseren Zeit, die kommt, wenn religiöse Männer und Frauen sich über die abweichenden intellektuellen Meinungen und rituellen Bräuche erheben werden, welche nun trennen und sie oft erbittern, zu einer Anerkennung der gemeinsamen humanen Interessen der Menschheit; wenn alle vereinigt sein werden in einer großen Familie, Kinder des Allvaters.[4]

---

[4] Ebd., S. 260f.

4 Erste internationale Kontakte und „unitarische Mission"

Das Pfarramt in Chicago strengte Wendte offenkundig an, und so machte er 1874 in einer Erschöpfungspause seine erste Europareise, zusammen mit seiner Mutter, wobei er auch versuchte, persönlichen Kontakt mit dem deutschen *Protestantenverein* aufzunehmen, welcher von britischen und ungarischen Unitariern bereits gepflegt wurde. Zurückgekehrt nach Chicago, nahm er u.a. mit reformjüdischen Kräften Verbindung auf und ließ von seiner Kanzel aus auch Frauen sprechen, da er von ihrem Verkündigungsrecht überzeugt war. In Chicago erschien sein erstes von vier (Kinder-)Gesangbüchern in hoher Auflage, woran man seine ausgeprägte Neigung zur Musik erkennen kann.

1875 siedelte Wendte aus gesundheitlichen Gründen nach Cincinnati (Ohio) über, wo er mit dem späteren US-Präsidenten William Howard Taft (1857-1930) zusammenarbeitete, welcher auch Unitarier war (1909-1913 amtierte er als US-Präsident, 1921-1930 als oberster Richter der USA). Aus aktuellem Anlass sei bemerkt, dass Präsident Taft später scherzend bemerkt haben soll, Wendte habe „ihn ins Weiße Haus hineingebetet".[5] Außerdem engagierte Wendte sich für seine afro-amerikanischen Mitbürger. Danach (1882-1885) wirkte er in Newport (Rhode Island). Diese Zeit könnte wieder von besonderer Bedeutung gewesen sein, denn Rhode Island war der erste westliche Staat der Neuzeit, in welchem bereits in der Mitte des 17. Jahrhunderts der Baptisten-Prediger Roger Williams (1603-1683) vom britischen König Charles II. Religionsfreiheit erwirkt hatte. Dort ließ Wendte u.a. Protap Chunder Mozoomdar (Chóndro Mojumdar; 1840-1905) von seiner Kanzel predigen, den späteren Vertreter der Hindu-Vereinigung *Brahmo Samaj* beim Weltparlament der Religionen in Chicago. Anschließend (1886-1898) betrieb Wendte unitarische Mission an der amerikanischen Westküste (vorwiegend in Oakland und Los Angeles), nicht im Sinne der Verbreitung unitarischer Kirchenstrukturen, sondern unitarischer Gesinnung. Bereits im Herbst 1887 machte er die Bekanntschaft des unitarischen Theologie-Studenten Samuel Atkins Eliot II. (1862-1950), welcher nun zusammen mit ihm in diese Richtung wirkte und ein dauerhafter Weggefährte werden sollte.

5 Eindrücke vom Weltparlament 1893 und Eheschließung

Angesichts der oben geschilderten interreligiösen Zusammenarbeit nach dem Großfeuer in Chicago 1871, ist es vielleicht nicht verwunderlich, dass diese Stadt zweiundzwanzig Jahre später, im Rahmen der Weltausstellung 1893, zum Schauplatz des ersten Weltparlamentes der Religionen wurde. Wendte berichtete in seiner Autobiografie kurz über seine Teilnahme dort:

---

[5] Schlinck-Lazarraga: *Wiedergeburt*, S. 4.

Die wundervolle Ausstellung von Genius und Industrie der Welt füllte mich mit Bewunderung und Entzücken. Das Parlament der Religionen, in welchem ich eine bescheidene Teilaufgabe übernahm, war ein packendes Experiment, indem es zum guten Teil einen lange gehegten Traum internationalen und inter-religiösen Einvernehmens erfüllte. Gleich nach meiner Rückkehr nach Hause redete ich über die Geschichte des Parlamentes der Religionen und seine dauerhaften Lehren für die religiöse Welt. Die einzige Kritik, die ich mir selber erlaubte, war, dass es eine Ausstellung war, indem sie mehr die gewaltige Reichweite und Mannigfaltigkeit von Religionen zeigte, als einen Ausdruck religiöser Sympathie, Einheit und Gemeinschaft. Das Spätere musste die vollere Entwicklung religiöser Kenntnis erwarten, interrassische Freundschaft und inter-religiöse Gutwilligkeit, welche die zukünftige Geschichte der Menschheit sicherlich bringen würden.[6]

Am 28. April 1896 heiratete Wendte in Oakland, fast 52-jährig, Abbie Louise Grant (1857-1936; Tochter des unitarischen Kaufmannes George Emery Grant in Oakland und dessen Gattin Ellen Louisa, geb. Dagett) – ein Schritt, den er später als sehr segensreich beschrieb. Die Gräber der Familien Grant und Wendte befinden sich noch heute auf dem Mountain View Cemetery in Oakland. Mittlerweile liegen mir – als ein erfreuliches Ergebnis dieses Göttinger Kongresses – Fotos von Wendtes Grabstätte vor, die er mit seiner Gattin teilt.

Abbildung 2: Grabplatte des Ehepaares Wendte auf dem Mountain View Cemetery (Bergblick-Friedhof) in Oakland/Kalifornien (Aufnahme vom 26.2.2013, mit freundlicher Genehmigung zur Veröffentlichung von Frau Dr. h.c. Arliss Ungar)

---

[6] Wendte: *Fellowship*, Bd. 2, S. 124.

6 Die Gründung einer internationalen und interreligiösen Organisation

1899 reiste Wendte zum fünften Mal nach Europa; diesmal auf Wunsch seines Freundes Rev. Dr. Samuel A. Eliot, welcher mittlerweile Sekretär des amerikanischen Unitarierverbandes (AUA) war, um dessen 75-Jahr-Feier international zu gestalten. Zu jener Feier in Boston im Mai 1900 waren dann Vertreter von mindestens zehn verschiedenen liberalen Gemeinschaften anwesend, darunter *Brahmo Samaj* und der *Protestantenverein*. Bei diesem Anlass wurde der *Internationale Rat von unitarischen und anderen liberal-religiös Denkenden und Wirkenden* gegründet – mit Wendte als internationalem Generalsekretär. Man wollte weltweit zu denen Verbindung aufnehmen, welche danach strebten, reine Religion und vollkommene Freiheit zu vereinigen, um ihre Gemeinschaft und Zusammenarbeit zu fördern. Auf weitere Satzungen wurde verzichtet, aber der fünfzehnköpfige Vorstand sollte alle zwei bis drei Jahre einen Weltkongress in verschiedenen Ländern initiieren, was 1901-1913 tatsächlich gelang: Nur der vierte Kongress fand in den USA statt (Boston 1907), die fünf anderen in Europa, weshalb Wendte immer wieder Reisen dorthin unternahm.

Damit war meines Erachtens ein entscheidender Durchbruch erreicht: Der interreligiöse Dialog wurde erstmals für längere Zeit weltweit institutionalisiert – eine Qualität, die es zuvor niemals gegeben hatte – ein neues Zeitalter für die Religionen auf diesem Planeten hatte begonnen. Und sein Hauptaktivist sollte für die ersten zwanzig Jahre Charles Wendte sein. Er schrieb darüber wie folgt:

> Ich habe die Geschichte dieses internationalen Unternehmens in solchem Detail aufgezeichnet, da sie ja von Bedeutung für die Ausbreitung liberaler Prinzipien war und da meine eigenen persönlichen Bemühungen von nun an eng mit ihr verbunden waren. Als ihr Sekretär eröffnete ich unverzüglich eine breite Korrespondenz mit Repräsentanten liberaler religiöser Gedanken überall in der Welt, indem ich ihnen einen Rundbrief zusandte, der die Prinzipien und Ziele des Rates verkörperte und um ihre Kooperation bat. Die erhaltenen Antworten waren fast einhellig zugeneigt und drückten die Freude der Schreiber aus, dass solch eine internationale und interreligiöse Bewegung eingeführt worden war.[7]

7 Wendtes Bericht beim ersten Weltkongress in London 1901

Die Zeit schien also reif für solch ein umfassendes Projekt, wenn es auch, wie wir wissen, später erhebliche Rückschläge geben sollte. Bereits beim ersten Weltkongress in London 1901 trug Wendte einen ausführlichen Bericht über die Entwicklung des Weltkongress-Projektes vor. Darin äußerte er auch Folgendes:

---

[7] Ebd., S. 193.

Viele der empfangenen Briefe enthüllten die Einsamkeit und Bedrängnis, die von isolierten liberalen Denkern und Gemeinden rund um die Welt ertragen werden, ihr heroisches Zeugnis für Wahrheit und Freiheit und ihre Freude über die Gelegenheit, die ihnen von diesem Rat geboten wurde, in geschwisterliche Beziehungen zu ihren Mit-Liberalen in Europa und Amerika zu kommen. [...] Der bemerkenswerte Fortschritt in Zivilisierung während der vergangenen Jahrhunderte brachte die Nationen der Erde in engere und komplexere Beziehungen und machte ihnen, wie niemals zuvor, ihre gegenseitigen Abhängigkeiten und gegenseitigen Verpflichtungen bewusst. Die letztliche ‚Föderation der Welt' für ideale und geschwisterliche Ziele ist nicht länger bloß ein Poetentraum; sie ist ein Axiom vernünftiger politischer Ethik.[8]

Er stellte im Folgenden die Verbindung zum Weltparlament von 1893 her und erläuterte die Gründe für eine Fortsetzung des dadurch ausgelösten Prozesses:

Noch bemerkenswerter in seinem geistigen Gesichtskreis und Einfluss war das Parlament der Religionen bei der Welt-Ausstellung in Chicago 1893, welches siebzehn Tage dauerte und Teilnahme einer großen Anzahl von Delegierten erfuhr [...]
Dieselbe Überzeugung und geschwisterlicher Impuls haben zur Organisation des Internationalen Rates unitarischer und anderer liberal-religiöser Denker und Wirkenden geführt. Man glaubt, dass seine Sitzungen, abgehalten alle zwei oder drei Jahre in verschiedenen Ländern, öffentliche Aufmerksamkeit anziehen und ihrem vereinten Zeugnis für fortgeschrittene religiöse und ethische Ideen Einfluss verleihen werden. Man glaubt weiterhin, dass es die Herzen und Hände einsamer, für religiöse Wahrheit und Freiheit Wirkender in vielen Ländern stärken wird und dass die religiösen Körperschaften, die damit verbunden sein mögen, sich selber anwachsend fühlen in Kraft und Einfluss durch das Bewusstsein größerer geschwisterlicher Beziehungen und eines breiteren organischen Lebens. In dieser guten Hoffnung treffen wir uns heute unter diesen glücklichen Vorzeichen um einzuweihen, worauf wir vertrauen, dass es eine permanente und einflussreiche Bewegung für die Einigung in allen Ländern und unter allen Menschen reiner Religion und vollkommener Freiheit werden wird.[9]

---

[8] *Liberal Religious Thought at the Beginning of the twentieth Century; Addresses and Papers at the International Council of Unitarian and other Liberal Religious Thinkers and Workers, held in London, May (25.05.-03.06.) 1901.* Hg. von William Copeland Bowie. London 1901, S. 324 u. 327f.
[9] Ebd., S. 329.

8 Weltkongresse in Amsterdam 1903 und Genf 1905

Beim zweiten Weltkongress, der 1903 in Amsterdam stattfand, dachte Wendte in seinem Bericht bereits laut über die Organisation von Weltkongressen dieser Art in Asien nach.[10]

In seinem Bericht beim Genfer Weltkongress 1905 finden wir ein Gedicht ohne Quellenangabe, vermutlich von ihm selber. Ich habe versucht, es zu übersetzen, da es offenkundig seine Gedanken in poetischer Form abkürzt:

> Wir mögen nicht denken unserer Väter Gedanken,
> Ihre Glaubensbekenntnisse mögen unsere Lippen ändern,
> Aber in dem Glauben, den sie teuer erkauften,
> Werden unsere Herzen niemals wanken,
> 's war Glauben an Mensch, 's war Glauben an Gott,
> 's war Glauben an Wahrheit und Schönheit:
> An Verstandes Anrecht und Freiheits Macht,
> Und alles überprüfende Pflicht.[11]

Direkt nach diesem Gedicht beleuchtete Wendte die kritische Lage der religiösen Liberalen wie folgt:

> Soweit wir die religiöse Situation rund um die Welt überblicken, finden wir, dass, während es überall eine gewaltige Bedeutung von latentem, unorganisiertem Liberalismus gibt, die Repräsentanten bewussten, vernünftigen und ehrerbietigen Freidenkens überall in einer Minderheit sind. Auch ist überall diese liberale Minderheit engagiert in einem entschlossenen Ringen, um die Religion des Geistes gegen eine aggressive Orthodoxie und reaktionäre Kräfte in Kirche und Staat aufrecht zu erhalten. Die Kräfte moderner Wissenschaft und Gelehrsamkeit fechten auf unserer Seite, das konstante Wachstum politischer Freiheit und sozialer Gerechtigkeit üben einen großen Einfluss zu unseren Gunsten aus, [...] Groß ist deshalb unser Bedarf, konfrontiert mit solchen Widersachern, unsere zerstreuten Kräfte zu ermutigen und einander zu stärken, damit wir nicht entmutigt und überwältigt werden im Ringen um religiöse Freiheit. [...] Wir müssen einander jene Sympathie und Kooperation erweisen, die allein unsere individuelle Sicherheit absichern können und den letztlichen und allgemeinen Triumph unserer Sache.

---

[10] *Religion and Liberty; Addresses and Papers at the second International Council of Unitarian and other Liberal Thinkers and Workers, held at Amsterdam, September (01.-04.09.) 1903.* Hg. von Pieter Herman Hugenholtz jr. Leiden 1904, S. 67.
[11] *Actes du 3me Congrès International du Christianisme Libéral et Progressif, Genève (28.-31.08.) 1905.* Hg. von Edouard Montet. Genf 1906, S. 14.

Fünf Jahre später, in Berlin, fügte Wendte noch über den Genfer Kongress hinzu:

> Daß die Stadt und Kirche Calvins unter den anderen Delegierten auch den
> geistigen Nachkommen von Servet und Socinus, den Unitariern, diese Gast-
> freundschaft zu Teil werden ließ, das war wirklich ein leuchtendes Zeichen
> religiösen Fortschrittes, ein Triumph christlichen Geistes über Kirchensat-
> zungen und über die Vorurteile einer vergangenen Zeit.[12]

9   Wendtes „Heimspiel" beim Bostoner Weltkongress 1907

Der Weltkongress in Boston 1907 war Wendtes Heimspiel, und er übernahm selber zusätzlich die Rolle des nationalen Generalsekretärs. Bei den Weltkongressen
in anderen Ländern standen ihm stets Generalsekretäre der nationalen Vorberei-
tungs-Komitees zur Seite. 1910 in Berlin war dies der evangelische Pfarrer Dr.
Gustav Adolf Fobbe. Mittlerweile war es mir möglich, eine Biografie unseres leider
fast vergessenen nationalen Generalsekretärs zu erarbeiten.[13]

   Beim Bostoner Kongress schwärmte Wendte regelrecht von den erreichten Er-
folgen:

> Was immer sonst dieser internationale Rat ausgeführt haben mag: er hat si-
> cherlich die Fürsprecher religiöser Freiheit in vielen Ländern in engere Be-
> rührung und Bekanntschaft mit jedem anderen gebracht. Wir sind nicht
> mehr Fremde: wir sind Freunde. Wir drücken jedes anderen Hände heute
> mit einer Wärme, hervorgebracht durch Vertrauen und Dankbarkeit; wir
> schauen in aller anderen Gesichter mit herzlichem / liebevollem Interesse;
> wir hören jedes anderen Worte mit eifriger Erwartung. Wir werden jedem
> anderen von unseren individuellen Erfahrungen erzählen seit wir uns zuletzt
> trafen – unsere Versuche und Niederlagen, unsere Triumphe und Gewinne,
> unsere unvergänglichen Treuhandschaften und Hoffnungen [...].[14]

Er begrüßte

> das Herauskommen mehrerer verschiedener Reihen populärer Handbücher
> über theologische, philosophische und religiöse Themen in Deutschland
> und anderen Ländern, geschrieben von hervorragenden Gelehrten, welche
> sich schon weiter Verbreitung erfreuen, – ein erfreulicher Beweis, dass die

---

[12] *Fünfter Weltkongress für freies Christentum und religiösen Fortschritt, Berlin 5. bis 10. August 1910. Protokoll
der Verhandlungen.* Hg. von Max Fischer und Friedrich Michael Schiele. Berlin 1910, S. 85.
[13] Michael Sturm-Berger: *Pfarrer Dr. Gustav A. Fobbe und das interreligiöse „Geheimnis" am Gesundbrunnen.
Eine Biographie anlässlich seines 65. Todestages am 09.02.2012.* Erfurt 2012.
[14] *Freedom and Fellowship in Religion; Proceedings and Papers of the fourth International Congress of Free Christians
and other Religious Liberals, held at Boston. U.S.A., Boston September 22-27, 1907.* Hg. von Charles William
Wendte. Boston, Mass. 1907, S. 55.

Schlussfolgerungen moderner historischer und kritischer Wissenschaft nicht länger der exklusive Besitz der gebildeten Klassen und der Universität sind, sondern sie zunehmend zur Kenntnis und Fassungskraft der schlichten Gottesleute zu bringen sind. Wenn dies erfolgreich vollendet werden sollte, wird eine religiöse Revolution oder eher Transformation nicht weit entfernt sein.[15]

„Der wahre Liberale spricht nicht nur die Wahrheit, sondern er spricht sie in Liebe. Er toleriert nicht nur, er liebt seine Mitmenschen."[16] Diese beiden bedeutungsvollen Sätze fassen auch einen der wenigen ins Deutsche übersetzten Artikel Wendtes schön zusammen: *Was heißt es religiös liberal sein? Ein unitarischer Traktat.*[17]

Wir bemerken, denke ich, dass man viel Substanzielles aus seinen Texten ablesen kann – und sind damit wieder beim Berliner Weltkongress angekommen.

10 Nochmals zum Berliner Weltkongress 1910

Wendte hatte bereits 1908 einen Nachruf auf den verstorbenen Berliner Professor Otto Pfleiderer verfasst und gab beim Kongress nochmals seiner großen Wertschätzung Ausdruck:

> Sein liebevolles Entgegenkommen und der anregende Verkehr mit ihm in Berlin gehörten für uns Ausländer zu den schönsten Vorerinnerungen unserer gegenwärtigen Zusammenkunft. [...] Er war und ist unser aller Lehrer und Meister und durch sein anregendes und biederes Wesen uns als guter, edler Mensch und treuer Mitarbeiter eine unvergeßliche Erinnerung.[18]

Der nationale Generalsekretär des Berliner Kongresses, der bereits erwähnte Pfarrer Dr. Fobbe, war übrigens ein begeisterter Student Professor Pfleiderers gewesen.

In seiner englischsprachigen Zusammenfassung über den Berliner Weltkongress schrieb Wendte:

> einer intelligenteren und verständnisvolleren Zuhörerschaft hat niemand jemals ins Angesicht gesehen. [...] Sehr eindrucksvoll war auch die vorherrschende Offengesinntheit, Geduld und Höflichkeit, gezeigt durch die Zuhörerschaft gegenüber diesen Rednern und durch die Redner untereinander.

---

[15] Ebd., S. 58.
[16] Ebd., S. 64.
[17] Charles Willliam Wendte: *Was heißt es religiös liberal sein? Ein unitarischer Traktat.* In: *Die Christliche Welt.* 21. Jg., Nr. 37, 12.9.1907, Sp. 881-884.
[18] Fischer/Schiele: *Fünfter Weltkongress,* S. 90.

[...] Niemals sind so viele divergente Gesichtspunkte bei einem unserer Kongresse präsentiert worden.[19]

Abbildung 3: Beim Weltkongress 1910 in Berlin (v.l.n.r.): Rev. Tudor Jones (Austra-lien), Ehepaar Dr. Ada und Prof. Heinrich Weinel (Jena), Wendte
(aus: *Die Woche*, Berlin, 12. Jg., Nr. 33, 13.8.1910, S. 1382)

Leider musste er später hinzufügen:

> Kurz nach dem Kongress, möglicherweise durch ihn dazu veranlasst, hielt der Kronprinz von Preußen eine Ansprache, in welcher er das Wachstum internationaler Ansichten in Deutschland stark missbilligte. Dass unter solchen Bedingungen der Berliner Kongress so weitherzige Gastfreundschaft zu ausländischen Nationen und fremden Ideen entfaltete, war ein morali-scher Triumph der ersten Ordnung.[20]

---

[19] *Fifth International Congress of Free Christianity and Religious Progress Berlin August 5-10, 1910; Proceedings and Papers „Einheit durch Freiheit".* Hg. von C. W. Wendte und Valentine David Davis. Berlin/London 1911, S. 4.
[20] Wendte: *Fellowship*, Bd. 2, S. 366.

11 Der Pariser Weltkongress 1913 und die Entwicklung danach

Doch hatte sich auch organisatorische Kritik an den über 150 innerhalb einer Woche abgehaltenen Ansprachen ergeben. In seiner englischsprachigen Zusammenfassung von 1913 über den Weltkongress in Paris fand diese wie folgt ihren Ausdruck:

> Man macht geltend, und mit Recht, dass diese Treffen zu oft sind, die diskutierten Themen zu vielseitig; dass ihre Programme zu überfrachtet sind mit Rednern, so dass sie eine hastige und oberflächliche Behandlung der präsentierten Gegenstände, Abschneiden der freien Debatte haben und indem sie in einer intellektuellen Übersättigung resultieren, welche den vollen Nutzen unmöglich macht, der gezogen werden kann aus den Ansprachen, ob gelehrt oder geschickt, und verhindert oft jene praktische Betrachtung und Aktion, welche eines der Merkmale dieser Treffen sein sollte.[21]

Ein sehr bemerkenswertes, in Paris mit Hilfe von Vorträgen kontrovers diskutiertes Thema war: *Ist eine universale Religion möglich oder wünschenswert?*

Nun war es gerade dieser Kongress, bei dem erstmals ein gelehrtes Mitglied der Bahá'i-Weltgemeinde sprach. Es war Hippolyte Dreyfus, welcher vom damaligen Oberhaupt dieser Gemeinde, Abdu'l-Bahá (1844-1921), dazu beauftragt worden war.

Letzterer war mit Wendte befreundet und hatte ihn 1912 in Boston besucht. Für Oktober 1914 bis März 1915 hatte Wendte mit ihm und anderen zusammen eine „weltweite Pilgerreise religiös Liberaler" geplant. Diese konnte wegen Ausbruch des Ersten Weltkrieges genauso wenig stattfinden, wie der für 1916 in London angedachte Weltkongress.

Erst 1920 gelang es wieder, eine etwas bescheidenere Versammlung zum 300. Jubiläum der Pilgerväter in Boston und Plymouth zu organisieren. Wendte hatte sich ununterbrochen bemüht, briefliche Kontakte zu den Mitarbeiterinnen und Mitarbeitern der Weltkongresse zu halten. Er pflegte auch freundschaftliche Kontakte zu Mitgliedern zahlreicher christlicher Konfessionen, Sikhs, Parsen, Buddhisten, Anhängern japanischer und chinesischer Religionsgemeinschaften. Nach dem Krieg trat er für eine in Großbritannien gegründete *Liga der Religionen* ein und erwähnte den von Rudolf Otto in Deutschland konzipierten *Religiösen Menschheitsbund*. Anschließend kündigte er an, dass er zwar zeitlebens der Weltkongress-Bewegung verbunden bleiben, aber aus Altersgründen zurücktreten werde – und weil er glaube, dass jetzt die Leitung der Weltkongresse nach Europa verlegt werden sollte. Daher übergab er mit Zustimmung des Rates sein Amt an Rev. William H.

---

[21] Charles Wilhelm Wendte: *Religious Liberals in Council; an Appreciation of the sixth International Congress of Religious Progress; Paris, France July 16-22, 1913*; (Reprinted from the Christian Register, Boston) 1913, S. 4.

Drummond in London.[22] In der Folgezeit schrieb er weiter an seiner Autobiografie, aus der ich oben mehrfach zitierte.

Am 9. September 1931 starb er in Berkeley (Kalifornien), im Alter von 87 Jahren. Seine Korrespondenzen und wissenschaftlichen Nachlässe werden in der Theologischen Andover-Harvard-Bibliothek in Cambridge (Massachusetts) aufbewahrt. Ein halbwegs vollständiges Verzeichnis seiner Veröffentlichungen existiert bis heute meines Wissens leider nicht.

Abbildungen 4 und 5: Wendte und seine Gattin Abbie Louise, geb. Grant
(aus: *The Wider Fellowship*, Bd. 2, S. 128)

---

[22] *New Pilgrimages of the Spirit; Proceedings and Papers of the Pilgrim Tercentenary Meeting of the International Congress of Free Christians and other Religious Liberals; held at Boston and Plymouth, U.S.A., October 3-7, 1920.* Boston, Mass. 1921, S. 87-92 u. 151-154.

Die deutsch-unitarische Entwicklung seit 1945

Jörg Last

In Dan McKanans Beitrag ist von „Accidents in Unitarian History" die Rede; „Accidents" lässt sich mit „zufällige Begebenheiten" übersetzen, aber auch mit „Unfälle". Dan McKanans Einladung, diese „Unfälle" unitarischer Geschichte in Deutschland zu reflektieren, wollen wir deutschen Unitarier gerne annehmen.

Mein Beitrag zur deutsch-unitarischen Entwicklung seit 1945 will nur ein bescheidener Anstoß sein, diese wichtige Aufgabe – gerne im Weiteren auch gemeinsam mit anderen unitarischen und freireligiösen Gruppen in Deutschland – anzugehen. Ich bin überzeugt, wir können alle dadurch nur gewinnen – und damit auch die unitarische Idee!

1 Die freiprotestantischen Ursprünge

Die Unitarier in Deutschland stehen maßgeblich in der Tradition der rheinhessischen Freiprotestanten, deren Gemeinschaft 1876 gegründet und 1902 als Verein eingetragen wurde. Sie waren zu dieser Zeit eine regional begrenzte, freichristliche Laienvereinigung von fünfzehn Gemeinden mit nicht ganz tausend Mitgliedern. Ihre Leitung und die Mitglieder der Gemeinschaftsgremien wurden von einer Generalversammlung auf fünf Jahre gewählt.[1]

---

[1] Friedrich Ehrlicher: *Deutsche Unitarier – Deutsches Kulturwerk: Eine Beziehung in Spannungen.* München 1988 (gekürzt veröffentlicht in MdP 2/1988 der Deutschen Unitarier Religionsgemeinschaft e.V.), S. 2.

Rheinhessen gehörte seit 1816 zum Großherzogtum Hessen und war zuvor zwanzig Jahre lang Teil des revolutionären Frankreich. Die damals gewonnenen politischen und gesellschaftlichen Freiheiten formten die Identität der Menschen in der überwiegend landwirtschaftlich geprägten Region, so dass Rheinhessen auch ein Zentrum der Märzrevolution 1848 war. Die Menschen suchten die geistig-religiöse Freiheit und zweifelten zunehmend an den kirchlichen Lehren. Als die Landeskirchen 1875 die Kirchensteuer einführten, war der Unmut so groß, dass viele die Kirchen verließen, um eigene, „freie" Gemeinschaften zu bilden. Das Glaubensbekenntnis der freien Protestanten war kurz und einfach:

> Wir glauben an Gott, den allmächtigen Geist im Weltall. Wir glauben an Jesus Christus als den begeistertsten und den begabtesten Lehrer der Menschen, der sein Leben geopfert hat für seine Lehre, der ein Erlöser ist aller derer, welche seine Lehre nicht nur glauben, sondern sie beherzigen und in ihrem Leben befolgen. Wir glauben an einen heiligen Geist, wirkend als sittlicher Gesamtgeist der Menschen, der sie in fortschreitender Entwicklung zu edler Menschlichkeit, Bildung und Sitte führt. Wir glauben an das Reich Gottes, als das Reich der Wahrheit, Gerechtigkeit und Bruderliebe, und halten es für die Aufgabe der christlichen Kirche, dieses Reich mehr und mehr zu verwirklichen. Wir glauben an ein ewiges Leben, denn wir sehen um uns her keine Vernichtung, sondern nur Wechsel der äußeren Erscheinungen.[2]

Seit 1909 war der ehemalige evangelische Pfarrer Rudolf Walbaum als ihr „Geistlicher Leiter" angestellt. Auf dem *Weltkongress für Freies Christentum und Religiösen Fortschritt* 1910 in Berlin[3] kam er in Kontakt mit englischen und amerikanischen Unitariern und erkannte das verwandte Denken mit dem seiner Gemeinschaft. Deren Zeitschrift *Der Freiprotestant* bekam bald darauf den Untertitel *Deutsch-unitarische Blätter*. 1934 öffnete sich die Gemeinschaft für Diaspora-Mitglieder auch außerhalb Rheinhessens, und Walbaum begann, weiträumige Kontakte zu kirchenkritischen Kreisen in Deutschland zu pflegen.[4]

Damit ist ein historischer Startpunkt der Entwicklung beschrieben, die zu den heutigen deutschen Unitariern führte. Die dazwischen liegende Zeit war nicht ohne Spannungen und Krisen und böte mit Sicherheit Stoff für eine ganze Reihe von eigenen Tagungen. Ich beschränke mich hier auf eine kurze Beschreibung der heutigen Gemeinschaft, um dann an ein paar Beispielen die historische Entwicklung aufzuzeigen.

---

[2] Christian Elßner: *Materialien zum Religionsunterricht und zur Selbstbelehrung für Schule und Haus.* Alzey 1882, S. 92.
[3] Vgl. dazu den Beitrag von Sturm-Berger in diesem Band.
[4] Ehrlicher: *Deutsche Unitarier*, S. 2.

2 Die *Unitarier – Religionsgemeinschaft freien Glaubens*

Die *Unitarier –Religionsgemeinschaft freien Glaubens* hat heute rund 700 Mitglieder im gesamten Bundesgebiet. Gemeinden, Gruppen und Einzelmitglieder sind jeweils zu Landesgemeinden zusammengefasst, die wiederum Mitglied in der Gesamtgemeinschaft sind. Die Gruppierungen verwalten sich selbst und entsenden Delegierte zu der alle zwei Jahre tagenden Hauptversammlung. Dort werden das Präsidium und die Gremien jeweils für vier Jahre gewählt.

Ein besonderes Gremium ist der *Geistige Rat.* Er besteht aus bis zu neun Mitgliedern und berät den Vorstand. Seine Aufgabe ist es, die geistig-religiösen Gemeinsamkeiten der Mitglieder bewusst zu machen und zu formulieren. Dazu nimmt er die Anregungen der Mitglieder auf und gibt Impulse für die Weiterentwicklung in die Gemeinschaft zurück. Er äußert sich zu Fragen, die aus der Gemeinschaft an ihn herangetragen werden, arbeitet aber auch auf eigene Initiative.[5]

Wir Deutschen Unitarier haben – anders als noch die Freien Protestanten – kein Bekenntnis. Wir haben unsere verbindenden religiösen Vorstellungen in den sogenannten „Grundgedanken" formuliert. Darin finden sich Aussagen zu unserem Religionsverständnis, zum unitarischen Glauben, dem Leben im Allgemeinen, zu uns Menschen im Besonderen und zu unserem Zusammenleben. Die Aussagen wurden in einem demokratischen Prozess entwickelt und in der aktuellen Fassung auf der Hauptversammlung 1995 einstimmig beschlossen.

Jugend-, Familien- und Seniorenbetreuung haben einen festen Platz in den Aktivitäten der Gemeinschaft. Die Gruppen und Gemeinden veranstalten Feste im Jahreskreis sowie Feierstunden zu verschiedenen Themen. Als reine Laiengemeinschaft organisieren die Mitglieder alle Feiern und Feste selbst und führen die Lebens-, Jugend- und Eheleiten sowie Trauerfeiern nach eigenen Vorstellungen durch. Vorgegebene Formen oder feste Rituale existieren nicht. Es gilt das Motto: „Jeder darf, nichts muss, alles kann!"

Seit 1959 treffen wir uns alle zwei Jahre zum *Unitariertag,* einer großen öffentlichen Veranstaltung. Daran nehmen auch Freunde und Gäste aus aller Welt teil. Ich könnte jetzt noch von den angeschlossenen Organisationen – einer Akademie, einem Jugendbund, einem Hilfswerk oder einem Jugend- und Familienbildungswerk – berichten, will aber abschließend nur noch darauf hinweisen, dass die deutschen Unitarier auch noch Mitglied im *Dachverband freier Weltanschauungsgemeinschaften* (DFW), dem *Internationalen Rat der Unitarier und Universalisten* (ICUU) und der *Internationalen Vereinigung für religiösen Frieden* (IARF) sind.

Und damit zurück ins Jahr 1945.

---

[5] Deutsche Unitarier Religionsgemeinschaft e.V.: *Verfassung.* Hitzacker 1995.

3   Die Entwicklung seit 1945

Nach dem Kriegsende bot der achtundsiebzigjährige Rudolf Walbaum „religiös
Heimatlosen" die Mitgliedschaft in seiner freiprotestantischen Gemeinschaft an.
Schon bald gründeten sich neue Gruppen und Gemeinden in Norddeutschland,
wodurch die Gemeinschaft schnell wuchs.[6] Zudem engagierten sich die Freiprotestanten auch in der Seelsorge in den alliierten Internierungslagern.

Herbert Böhme und Eberhard Achterberg

1947 wurde so Herbert Böhme im Lager Hohenasperg auf die Gemeinschaft aufmerksam.[7] Böhme war im Dritten Reich eine prominente Figur; er war NSDAP-
Mitglied, SA-Obersturmführer, Fachschaftsleiter der Reichsschrifttumskammer
und nicht zuletzt ein bekannter Dichter. Er gründete noch vor seiner Entlassung
aus der Internierungshaft im Lager eine neue Gruppe der Religionsgemeinschaft
und nahm im Herbst an einem Treffen auf dem Klüt, einem Berg nahe Hameln,
teil. Walbaum hatte dorthin die führenden Personen der gewachsenen Freiprotestanten zu Planungsgesprächen eingeladen.[8]

   Walbaum formuliert 1946 in seinem sechzehnseitigen Heft *Religiöser Unitarismus*
folgende Hauptprinzipien, die eine unitarische Gemeinschaft charakterisieren:

> 1. Vollständige geistige Freiheit in religiöser Hinsicht statt Gebundensein an
> Glaubensbekenntnisse oder Konfessionen. 2. Uneingeschränkter Gebrauch
> der Vernunft in Dingen der Religion statt Verlass auf äußere Autorität oder
> Tradition der Vergangenheit. 3. Weitgehende Toleranz gegenüber den ver-
> schiedenen religiösen Ansichten und Bräuchen statt Beharren auf Gleich-
> förmigkeit in Lehre, Gottesdienst oder Verfassung.[9]

Damit stellte er sich ganz bewusst in die von Earl Morse Wilbur dokumentierte
Tradition der antitrinitarischen Bewegung, die im 4. Jahrhundert ihren Anfang
nahm und sich zwölf Jahrhunderte später in Siebenbürgen und Polen fortsetzte.
„Deutsch-unitarisch" sei darüber hinaus, schrieb Walbaum, „eine Weltanschauung,
die Gott und Welt nicht dualistisch ganz voneinander trennt, aber auch nicht mo-
nistisch vereinerleit, sondern zu einer All-Einheit verbunden sieht, nach welcher
auf Erden der Mensch als solcher der eingeborene Gottessohn ist."[10]

   In der Gemeinschaft bildete sich durch die vielen Neuzugänge aber ein span-
nungsreiches Spektrum religiös-weltanschaulicher Ansichten, das von den links-
rheinischen Freiprotestanten über eine liberale Gruppierung ehemaliger Deutsch-

---

[6] Ehrlicher: *Deutsche Unitarier*, S. 2f.
[7] Ulrich Nanko: *Religiöse Gruppenbildungen vormaliger „Deutschgläubiger" nach 1945.* In: *Antisemitismus,
Paganismus, Völkische Religion.* Hg. von Hubert Cancik und Uwe Puschner. München 2004, S. 121-134.
[8] Ehrlicher: *Deutsche Unitarier*, S. 3f.
[9] Rudolf Walbaum: *Religiöser Unitarismus.* Stuttgart 1946, S. 4.
[10] Ebd.

gläubiger bis hin zu antiklerikalen, antichristlichen und auch antisemitischen Personen reichte.[11] Hans-Dietrich Kahl formuliert:

> wir erlebten den Anschluss neuer Gemeinschaften in Schleswig-Holstein und Nordhessen, die unabhängig aus eigenen Wurzeln entstanden, die [ihre] Gemeinsamkeit auf gegenwärtige Erfahrungen gründeten, nicht auf Wachstum von früher her. Sie hatten wenig innere Fühlung mit der älteren [unitarischen] Tradition [...] [und] stellten im Rahmen des Ganzen alsbald einen bedeutenden Anteil der Mitgliederzahl.[12]

Die bis dahin neugegründeten zwölf rechtsrheinischen Gemeinden umfassten insgesamt 800 Mitglieder. In den sogenannten „Urgemeinden" links des Rheins waren es zu dieser Zeit mit 950 Mitgliedern nur wenige mehr.

Auf dem ersten Klüt-Treffen beeindruckte der junge Eberhard Achterberg mit einem Vortrag zum Thema *Deutschlands Zukunft als religiöse Aufgabe*.[13] Achterberg war neunzehnjährig der NSDAP beigetreten und hatte dem Dritten Reich überzeugt und aktiv gedient.[14] In seinem Vortrag auf dem Klüt vollzog Achterberg aber eine „scharfe Abrechnung mit dem unheilvollen ‚Führerprinzip' der zurückliegenden Jahre" und appellierte an die „unaufhebbare persönlich-sittliche Verantwortlichkeit des einzelnen". Seine Ausführungen hinterließen einen tiefen Eindruck bei den Teilnehmern.[15] „Weil ich damals aktiv und überzeugt dabei war, deshalb trete ich dafür ein, dass sich eine solche Entwicklung nicht wiederholen darf", schrieb Achterberg 1983 in einem Brief an den jüdischen Schriftsteller Erich Fried.[16]

Der *Klütkreis*

In Herbert Böhme reifte derweil der Plan, die anwesende Gruppe zur elitären Führungsspitze der Freien Protestanten unter seiner Leitung zu machen, und er bezeichnete sie fortan als Klütkreis;[17] ein Gremium, das bis dahin in der Satzung des Vereins der Freiprotestanten nicht vorgesehen war. Ab Januar 1948 gab Böhme zudem im Namen des Klütkreises ein eigenes Nachrichtenblatt namens *Klüter Blätter* heraus. Böhme rechnete wohl mittlerweile auch fest damit, auf dem nächsten Treffen von Walbaum als dessen Nachfolger in der Funktion des „Geistlichen

---

[11] Vgl. Nanko: *Religiöse Gruppenbildungen*.

[12] Hans-Dietrich Kahl: *1996 – ein Jahr des Erinnerns*. In: *unitarische blätter*. Bd. 1. Jan./Feb. 1996, S. 38-39, hier S. 39.

[13] Vgl. Nanko: *Religiöse Gruppenbildungen*.

[14] Achterberg diente zunächst als stellvertretender Schriftleiter, dann als Hauptschriftleiter der *Nationalsozialistischen Monatshefte* in der Dienststelle des Reichsleiters Rosenberg.

[15] Hans-Dietrich Kahl: *Strömungen. Die Deutschen Unitarier seit 1945 – ein kritischer Rückblick*. In: *unitarische hefte*. Nr. 4. München 1989.

[16] Hans-Dietrich Kahl: *Eberhard Achterberg*. In: *unitarische blätter*. Bd. 2. März/April 2010, S. 91-97, hier S. 96.

[17] Vgl. Ehrlicher: *Deutsche Unitarier*.

Leiters" der Freiprotestanten vorgeschlagen zu werden. Am 6. April 1948 verstarb Walbaum jedoch kurz vor der Tagung des Klütkreises.

An dieser Tagung nahm der amtierende Vorsitzende des eingetragenen Vereins nur zeitweise teil, die Ergebnisse des Treffens waren dennoch weitreichend: Es wurden *Richtlinien für die Gemeindegründung* verabschiedet, die Zusammensetzung des „Führungskreises" und von zwölf Arbeitskreisen bestimmt und die Wahl von Sprechern der Gemeinschaft vorgenommen. Herbert Böhme wurde als „1. Sprecher" gewählt und auch der Leiter des Führungskreises.[18]

Die *Eppelsheimer Formel*

Auf einer außerordentlichen Generalversammlung des Vereins Freier Protestanten im September in Eppelsheim wurden die Beschlüsse des Klüt-Treffens aber nur zum kleinen Teil anerkannt. Böhme wurde als „1. Sprecher" nicht bestätigt, und der Klütkreis wurde dem *Ältestenrat*, einem neugegründeten Führungsgremium der Landesgemeindeleiter, unterstellt. Die Generalversammlung beschloss zudem die sogenannte *Eppelsheimer Formel*. Sie lautet:

> Die Religionsgemeinschaft Freier Protestanten setzt sich eindeutig ab vom dogmatischen Kirchenchristentum, aber auch von allem Antichristentum wie von jeder feindlichen Frontstellung gegen andere religiöse Auffassungen überhaupt. Sie sucht das Erbe unserer bisherigen christlich-abendländischen Glaubensgeschichte für die religiöse Weiterentwicklung fruchtbar zu machen, lehnt es aber ab, sich an dieses Erbe zu binden. Als vorläufige Richtschnur gelten ihr die auf Seite 13 bis 14 der Schrift *Religiöser Unitarismus* von Rudolf Walbaum aufgestellten 10 Punkte.

Diese zehn Punkte lassen sich durch

> folgende Stichworte kennzeichnen: Weltanschauung der All-Einheit, panentheistische Vorstellung eines unpersönlichen Gottes, undogmatisches religiöses Denken mit weiter Toleranz, eine liberale, soziale und national eingestellte friedliche Ethik, eine Atmosphäre warmherziger, offener Humanität.[19]

Böhme war enttäuscht, dass er seine Pläne zur Gestaltung der Gemeinschaft nicht gegen die Mehrheit der „Urgemeinden" durchsetzen konnte. Besonders aber störte ihn, dass der Anspruch des Klütkreises auf die zentrale geistige Führung der Gemeinschaft nicht akzeptiert wurde und dieser nur eine beratende Stimme haben

---

[18] Ebd., S. 4
[19] Hans-Dietrich Kahl: *Die Eppelsheimer Formel. Glaube und Tat.* Hamburg 1949.

sollte. Dabei berief er sich auf einen Führungsauftrag, den er von Walbaum erhalten haben wollte.

Auf höchste erzürnt soll er über die im Februar erscheinende Ausgabe des Mitteilungsblattes der Gemeinschaft *Glaube und Tat* gewesen sein. In diesem wurde über die *Eppelsheimer Formel* berichtet, ohne jedoch auf ihn als Person oder auf seine nationalen Vorstellungen einzugehen. Böhme sah in der Gemeinschaft „kein[en] Bürgerverein, sondern die Gestaltwerdung eines in uns allen lebendigen Kulturwillens". In zwei Rundschreiben rief Böhme im März die mit ihm sympathisierenden Gemeinden zur „Lossage von Alzey" und der *Eppelsheimer Formel* auf. Er wollte mit ihnen einen neuen Verein unter eigenen Namen gründen.[20]

Offenbar verfolgte er seine völkisch-nationalen Ziele mit aller Konsequenz. Die liberale und tolerante Gegenseite tat sich schwer mit einer angemessenen Antwort, wollte sie doch die Gemeinschaft nicht spalten. Aus dem Respekt vor der eigenständigen Entwicklung jedes einzelnen setzte sie lange auf das Prinzip des Dialogs. In ihrer progressiven Haltung waren die Deutschen Unitarier dem Zeitgeist voraus, antiautoritäre Prinzipien als Antwort auf die Erfahrungen im Nationalsozialismus standen ihnen in dieser Situation aber im Weg.

Eberhard Achterberg beschäftigten besonders Fragen der Wertorientierung, der antiautoritären Erziehung, der Gesellschaftspolitik und des persönlichen Miteinanders. 1975 resümiert er den Konflikt in einer Rückschau auf seine langjährige Tätigkeit als Schriftleiter von *Glaube und Tat*:

> Sollte der Weg in die Zukunft zu einer Fortsetzung dessen führen, was in der Glaubensbewegung aufgebrochen war? Deutscher Glaube als Ausdruck deutscher Wesensart und darum deutsche Unitarier? – Deutsches Brauchtum in Fest und Feier als Bewahrung deutschen Kulturerbes? – Oder sollte der Weg in die Zukunft als kühne Pioniertat in ein neues Land des Glaubens vorstoßen? Eine ganz neue Art von Religion, die ihren Wurzelgrund im Menschlichen hat und auch in Fest und Feier nach neuer Gestaltung, neuer Sinngebung sucht und darum vom Unitariertum spricht als einer weltweiten Bewegung. Unitariertum als Verkündung eines neuen Humanismus und darum auch als Wegbereiter einer neuen Ethik?[21]

Hier deutet er schon an, dass die implizite Politisierung der Gemeinschaft durch Böhme zunehmend Widerstand hervorrief. Kaum jemand suchte jedoch die direkte Auseinandersetzung mit ihm. In der demokratisch verfassten Gemeinschaft war man – geprägt vom gegenseitigen Respekt – gewohnt, mit einander um Wahrheiten zu ringen und zu streiten. Als „Suchender" begegnete der selbstverantwortliche Mensch anderen Meinungen dabei tolerant, undogmatisch und offen. Doch einer

---

[20] Ehrlicher: *Deutsche Unitarier*, S. 6.
[21] Eberhard Achterberg: *Was ich gewollt habe. Glaube und Tat*. In: *Deutsch-unitarische Blätter*. Bd. 1, Januar 1975, S. 6-8, hier S. 7.

Person von solcher Überzeugung und mit diesem Führungsanspruch und Sendungsbewusstsein hatte die Gemeinschaft anfangs wenig entgegenzusetzen.

„Zwei extreme Strömungen zeichneten sich u.a. schon sehr bald ab, und wenn sich auch mitunter verschiedene Standpunkte zu Gegensätzen verschärften, so gelang es doch immer wieder, Brücken des Gemeinsamen zu schlagen", schreibt Achterberg weiter,

> ich wollte nichts zerstören, ich wollte nicht verletzen, und ich wollte, dass beide Strömungen innerhalb der großen Gemeinschaft ihre Heimat finden. Aber was den Weg in die Zukunft betrifft, so konnte der nach meiner Meinung nur in der einen Richtung weitergehen. In der Richtung eines weltweiten Unitariertums, in der Richtung des Abbaus von Rassenvorurteilen und einer wachsenden Völkerverständigung. In der Richtung einer neuen Religion ohne Gott, in einer Richtung einer Ethik der Mitmenschlichkeit.[22]

In dieser „Richtung" wurde dann beispielsweise auch an den ersten religiösen Leitsätzen gearbeitet, um ein gemeinschaftliches Fundament für die individuelle Entwicklung des Einzelnen zu schaffen.

Die Spaltung zeichnet sich ab

Abwechselnd tagten in dieser Zeit die Versammlungen auf dem Klüt und in Eppelsheim. Was die Gruppe um Böhme dort beschloss, wurde hier vom offiziellen Verein nicht oder nur teilweise mitgetragen. Als in Eppelsheim Bedingungen für eine weitere Zusammengehörigkeit mit den rechtsrheinischen Gemeinden gestellt wurden, beschloss der auf dem Klüt gewählte Gemeinschaftsrat die Trennung von den „Urgemeinden". Diese lenkten daraufhin ein. Schließlich einigte man sich auf eine neue außerordentliche Generalversammlung im kommenden Jahr.

Auf dieser Sitzung im Februar 1950 wurde der neue Name *Deutsche Unitarier, Religionsgemeinschaft* offiziell gebilligt, eine neue Verfassung beschlossen und die Gremien neu geordnet. Böhme wurde als „Leiter des neu zu bildenden Klütkreises" Mitglied im Gemeinschaftsrat. Trotzdem war er nicht zufrieden. Mit der Gründung des *Deutschen Kulturwerks europäischen Geistes* schaffte sich Böhme ein Wirkungsfeld, das unabhängig von der Religionsgemeinschaft war, und das er ganz nach seinen Vorstellungen gestalten konnte.

Doch von der Gemeinschaft wollte er nicht lassen, obwohl ihm nun verstärkt Widerstand entgegengebracht wurde, auch in der Öffentlichkeit. Böhme erregte wegen neonazistischer Äußerungen und Veröffentlichungen Anstoß. Diese fielen auf die Gemeinschaft zurück, obwohl die Hauptversammlung zuvor einstimmig beschlossen hatte, dass die Religionsgemeinschaft als solche jede parteipolitische Stellungnahme ablehnt – ein stumpfes Schwert.

---

[22] Ebd.

Die Auseinandersetzung innerhalb der Gemeinschaft eskalierte langsam und Böhme geriet mehr und mehr in die Defensive. Anfang 1953 schrieb er in seinem Rundbrief: „Es ist nicht mein Ehrgeiz, als Erster Sprecher gewählt, sondern als Euer Erster Sprecher gewürdigt zu sein. Wo Ihr mir diese Würdigung absprecht, bitte ich, mich verabschieden zu dürfen." Doch es brauchte noch weitere Monate bis er sich tatsächlich zurückzog. Insgesamt sieben Jahre waren seit dem ersten Klüt-Treffen vergangen – eine lange Zeit. Die Bilanz danach: Einige Gemeinden – insbesondere aus dem Rheinhessischen – hatten sich von der Gemeinschaft getrennt.

Leitgedanken

1957 wurden die *Leitgedanken* auf der Hauptversammlung in Hameln einstimmig angenommen. Damit waren erstmals religiöse Glaubensaussagen gemeinschaftlich erarbeitet und demokratisch beschlossen worden. Sie hatten jedoch keinen Bekenntnischarakter und waren veränderbar – eine religionsgeschichtliche Neuheit![23]

Die Causa Böhme sollte aber nicht die einzige Prüfung in dieser Hinsicht bleiben. Eine Religionsgemeinschaft, die die Vielfalt der Vorstellungen und Meinungen ihrer Mitglieder als einen hohen Wert versteht, aus denen die Gemeinschaft schöpfen und sich weiterentwickeln kann, ist aufgrund dieses Idealismus verletzlich, denn sie besitzt kein Immunsystem, das Ideen oder Meinungen sofort als falsch erkennen und abwehren kann.

Sigrid Hunke

1969 hielt die Religionswissenschaftlerin und Schriftstellerin Sigrid Hunke auf dem *Unitariertag* einen Gastvortrag über *Die andere Religion Europas*. Bald danach wurde sie Mitglied. Anknüpfungspunkte ihrer neuheidnischen Ideenwelt zu den Gedanken Walbaums von der „Einheit des Allseins" waren wohl gegeben, auch wenn es andere Differenzen gab. Ihr Wissen und ihr Auftreten verschafften ihr Respekt, doch nur wenige wussten zu dieser Zeit wohl von ihrem politischen und wissenschaftlichen Wirken im Dritten Reich.[24]

Hunke wurde 1971 zur Vizepräsidentin der Gemeinschaft gewählt. Sie schien den Mitgliedern eine gute Kompromisskandidatin zwischen den nach wie vor bestehenden Flügeln innerhalb der Deutschen Unitarier zu sein, doch sie wird die Religionsgemeinschaft letztlich spalten. Hunke zeichnete ein dem Böhme'schen nicht unähnliches Sendungsbewusstsein aus, ihr „europäischer Geist" glich einer Ideologie und Teilen der Gemeinschaft diente sie wohl auch als Identifikationsfigur. Als die Differenzen überhand zu nehmen drohten, wurde auf der Hauptver-

---

[23] *Was glauben Sie eigentlich?* Hg. von der Deutschen Unitarier Religionsgemeinschaft e.V. Hamburg/Ravensburg 2000, S. 19.
[24] Kahl: *Strömungen*.

sammlung 1985 überraschend vorgeschlagen, sie zur Ehrenpräsidentin zu ernen-
nen.

„Die interessierte Öffentlichkeit nahm ‚Europas andere Religion' enthusias-
tisch auf", stellte Hunke zufrieden in ihrer Ansprache zur Verleihung der Ehren-
präsidentschaft fest, doch ihr war auch bewusst, wie umstritten ihr Führungsanspruch innerhalb der Unitarier war, wenn sie formulierte: „ … Und die Unitarier?
Einzelne Kreise in der Religionsgemeinschaft waren hingerissen … Andere
schwiegen lange … Bei einigen rief es von vornherein Frustration hervor: Im Zuge
einer alles ergreifenden Demokratisierung schien hier Autorität zu drohen, ein
Dogma, die Freiheit zu beschneiden …"[25]

Die von Hunke geleitete *Arbeitsgemeinschaft Europas eigene Religion* war kein legi-
timiertes Gremium, wollte jedoch eigene Leitgedanken durchsetzen, die aber in
wesentlichen Punkten dem unitarischen Selbstverständnis widersprachen. Fast vier
Jahre dauerte das Ringen der Ehrenpräsidentin um die Deutungshoheit innerhalb
der Religionsgemeinschaft, bevor sie feststellte: „Dies ist nicht mehr die Gemeinschaft, in die ich eingetreten bin." In den Monaten nach ihrem Austritt taten es ihr
etliche Mitglieder gleich, mehrere Gemeinden traten geschlossen aus und gründeten 1989 den *Bund deutscher Unitarier, Religionsgemeinschaft europäischen Geistes*.

Angriffe von Links

Im selben Jahr begann eine Welle der Verleumdung über der Religionsgemeinschaft zusammenzuschlagen. Sie sei eine „völkisch-rassistische Sekte" und „nazisti-
sche Tarnorganisation" lautete der Vorwurf, der aus linken Kreisen erhoben wurde. Böhme und Hunke dienten dabei als Belege. Der Versuch scheiterte, diese
Anwürfe gerichtlich verbieten zu lassen, da es sich um eine „subjektive Einschätzung" handele, die dem Wahrheitsbeweis nicht zugänglich sei. Der Schaden für die
Gemeinschaft, ihre öffentliche Reputation und die Funktionsträger war immens.
Die Wirkung öffentlicher Erklärungen des Vorstandes blieb vergleichsweise gering.
Noch Ende der 1990er Jahre gab es parlamentarische Anfragen linker Politiker zu
den Beziehungen der Deutschen Unitarier in das rechtsextreme Spektrum und
Antifa-Demonstrationen bei Unitariertagen.

„Da wir keine anderen Prinzipien anwenden als die demokratischen, sind
Trennungen nicht per Dekret zu verfügen, sondern nur argumentativ durchsetz-
bar. Dies ist einerseits eine Stärke, führt aber andererseits dazu, dass wir durch
Demagogen angreifbar werden", beschrieb 1991 der scheidende Präsident Horst
Prem das Dilemma der Gemeinschaft, aber – so weiter – dies „sollte uns nicht
davon abbringen, unser Toleranzprinzip weiter in argumentativer Form zu prakti-
zieren. In diesem Sinne wünsche ich unserer Religionsgemeinschaft und jedem

---

[25] Sigrid Hunke: *Und aus Einem alles – und in allem Eins: Ansprache bei der Verleihung der Ehrenpräsident-
schaft der Deutschen Unitarier*. In: *unitarische blätter*. Bd. 4. Juli/August 1985, S. 156-157, hier S. 157.

einzelnen die Kraft und Ausdauer, diesen konsequenten Weg auch in Zukunft zu gehen. Er wird sich auf Dauer lohnen."[26]

4   Öffnung und Aufbruch

Die 2011 auf der Hauptversammlung verabschiedete *Kasseler Erklärung*[27] sollte keinen Zweifel an der Lauterkeit der deutschen Unitarier mehr lassen. Wir stehen fest zu den unitarischen Prinzipien von Freiheit, Vernunft und Toleranz, wie schon Walbaum sie formuliert hat, und zu der von Christian Elßner 1882 in Alzey formulierten, „protestantischen Mission, der Fort- und Weiterentwicklung religiöser Erkenntnis" und der Pflicht, „alles entschieden zurückzuweisen, was dem Menschengeiste zu hemmenden Fesseln werden könnte".[28]

Die Angriffe von außen ließen die Gemeinschaft sich verstärkt nach innen orientieren. Die inhaltliche Arbeit überwog, die Öffentlichkeitsarbeit trat in den Hintergrund. Nach den ersten *Grundgedanken* von 1977, die die Leitgedanken von 1957 abgelöst hatten, wurde 1995 auf der Hauptversammlung in Hitzacker eine weiterentwickelte Fassung verabschiedet. Es scheint als sei alle zwanzig Jahre eine neue Generation der religiösen Grundaussagen erforderlich.

Apropos Generationenwechsel: Verjüngte sich der Vorstand Mitte der 1970er Jahre erstmals dramatisch, begann 1993 die ‚feminine Periode‘: sechs von neun Vorstandsmitgliedern waren weiblich – darin eingeschlossen die Präsidentin und die Vizepräsidentin. Auf die erste deutsche Bundeskanzlerin mussten wir da noch weitere zwölf Jahre warten! In der Zwischenzeit prägten Diskussionen um die Rolle von Ritualen und Spiritualität die inhaltlichen Auseinandersetzungen, auch der Begriff „Religionsgemeinschaft" und das Symbol werden seit langem kontrovers debattiert. Mit dem im Eigenverlag erschienenen Buch *Was glauben Sie eigentlich?*[29] beginnt ab 2001 wieder eine verstärkte Orientierung nach außen.

2009 fiel der Startschuss für das auf drei Jahre angelegte „Projekt 2000+", für das die Mitglieder über die üblichen Beiträge hinaus beträchtliche Mittel gespendet hatten. Das Ziel war es, die Erfahrungen der amerikanischen unitarischen Freunde zu nutzen, um die Religionsgemeinschaft nach innen zu stärken, eine Öffnung nach außen zu fördern und neue Interessenten für die unitarische Idee zu gewinnen. Auch wenn nicht alle Ziele erreicht wurden, so gab das Projekt eine Vielzahl von Impulsen in die Gemeinschaft. Auf der Hauptversammlung 2015 in Worms wurde dann auch beschlossen, den Namen der Gemeinschaft in *Unitarier – Religionsgemeinschaft freien Glaubens* zu ändern.

---

[26] Horst Prem: *Aus der Gemeinschaft – Brief des zurückgetretenen Präsidenten*. In: *unitarische blätter*. Bd. 3. Mai/Juni 1991, S. 136-137, hier S. 137.
[27] http://www.unitarier.de/unitarier/wer-wir-sind/geschichte/kasseler-erklaerung/.
[28] Elßner: *Materialien zum Religionsunterricht*, S. 88.
[29] *Was glauben Sie eigentlich?* Hg. von der Deutschen Unitarier Religionsgemeinschaft e.V. Hamburg/Ravensburg 2000.

Zur Geschichte und Lehre der Unitarischen Kirche in Berlin

Martin Schröder

1948 wurde die Unitarische Kirche in Berlin gegründet, für die ich hier spreche. Formaljuristisch ist sie ein eingetragener Verein und als gemeinnützig anerkannt. Ihr Gründer ist Pfarrer Hansgeorg Remus, mein Vorgänger. Er war in vierter Generation Pfarrerssohn einer alten, ostpreußischen, protestantischen Familie. Verheiratet war er mit Irmgard Goerigk, die aus einer wohlhabenden, ostpreußischen, katholischen Familie stammte. Das führte später in der Gemeinde zu dem Scherz: Er evangelisch, sie katholisch, das ist eine hervorragende unitarische Mischung. Jedenfalls war eine solche Eheschließung in der damaligen Zeit (man schrieb das Jahr 1937) noch sehr ungewöhnlich. Es sollte eine sehr glückliche Ehe werden. Wie konnte man aber 1948 im zerstörten Berlin, in dem die Menschen verhungerten und erfroren, eine Gemeinde gründen?

1 Gründungssituation 1948

Es waren im Wesentlichen drei Personengruppen, aus denen sich die Mitglieder der ersten Generation rekrutierten: die Suchenden, die Vertriebenen und die Verstoßenen. Die Anzahl der Suchenden muss in dieser Zeit erheblich gewesen sein, denn der Zweite Weltkrieg hatte ja in vielen Fällen nicht nur zu einer materiellen Entwurzelung geführt. Die Spaltung der evangelischen Kirche in Bekennende Kirche und Deutsche Christen, das Konkordat des Vatikans mit der deutschen

Reichsregierung hatte zahlreiche Gläubige erschüttert. Einige von ihnen wandten sich der neuen unitarischen Religion zu.

Weitere Mitglieder waren Vertriebene: Hansgeorg Remus und seine Frau kamen ja selbst aus Ostpreußen. Anders als seine Frau beherrschte Remus den ostpreußischen Dialekt. Es rührte an, ihn das *Kindchen im Kaschubenlande* oder andere Literatur vorlesen zu hören.

Abbildung 1: Hansgeorg Remus
(© Unitarische Kirche in Berlin)

Bleiben noch die Verstoßenen. Es ist uns heute nur noch schwer vorstellbar, dass in den ersten Jahrzehnten der Bundesrepublik evangelische wie katholische Pfarrer Amtshandlungen verweigerten, wenn sie mit der kirchlichen Pflichterfüllung der Gläubigen unzufrieden waren. Insbesondere ging es dabei um Beisetzungen. Der abgeschmackte Witz, dass der Verstorbene, der sonntags lieber einen Waldspaziergang machte, um dort seinem Herrgott nahe zu sein, dann nach Auffassung des Pfarrers doch besser vom Oberförster beigesetzt werden sollte, war damals traurige Wirklichkeit. So war Remus bei allen Berliner Beerdigungsinstituten bekannt als ein Pfarrer, der religiösen Eifer oder gar Mitgliedschaft in der Gemeinde nicht zur Vorbedingung für eine Beisetzung machte.

Mein Vorgänger war ein begnadeter Prediger, und so wuchs die Gemeinde, denn die Angehörigen kamen nicht selten dann auch zu den nächsten Gottesfeiern. Es führte aber auch zu einem frühzeitigen nervlichen Verschleiß und seelischer

Erschöpfung bei Remus. Fünf bis zehn Beerdigungen jede Woche Jahr für Jahr übersteigen wohl jedermanns Kräfte. Es ist deshalb kein Zufall, dass Remus mehrere Schlaganfälle erlitt, die ihn dienstunfähig machten, auch wenn vielleicht kein unmittelbarer medizinischer Zusammenhang bestand – und die Gemeindearbeit kam ja noch dazu!

Auch Rückschläge mussten verkraftet werden. Der schlimmste war: Hansgeorg Remus wurde verschleppt! Er wohnte damals mit seiner Familie in Wannsee (West-Berlin) und wollte mit der S-Bahn nach Potsdam (Sowjetische Besatzungszone) fahren. Beim Grenzübertritt wurde er kontrolliert. In seiner Aktentasche fanden sich Briefe amerikanischer Unitarier – der Klassenfeind war entdeckt! Kaum jemand sprach damals auch nur einige Brocken Englisch. Umso verdächtiger waren diese Briefe. Jedenfalls kehrte Remus an diesem Tag nicht nach Hause zurück. Niemand wusste, wo er sich befand, er selbst auch nicht! Das war eine äußerst gefährliche Situation, wie Sie gleich an einem anderen Beispiel werden sehen können. Wir vermuten heute, dass er im Stasi-Gefängnis in Potsdam inhaftiert war, das heute besichtigt werden kann, doch steht die Einsicht in Remus' Stasi-Akte noch aus. Bei Frau Remus meldeten sich inzwischen Agenten, die darauf hofften, belastendes Material zu finden. Sie gaben vor, die letzte S-Bahn nach Berlin verpasst zu haben und baten um ein Quartier. Das war damals nichts Ungewöhnliches, doch machten ihre vielen Fragen Frau Remus bald misstrauisch. Immerhin hatte sie dadurch die Gelegenheit, die Agenten von der politischen Harmlosigkeit ihres Mannes zu überzeugen. Die Spitzel gingen, und tatsächlich war Hansgeorg Remus einige Tage später wieder zu Hause. Es hätte leicht auch anders kommen können.

2 Andere unitarische Gemeinden in Berlin

Auch eine Abspaltung musste die Gemeinde hinnehmen. Da er des Englischen nicht mächtig war, hatte Hansgeorg Remus die Korrespondenz mit amerikanischen Unitariern zwei Gemeindemitgliedern anvertraut. Diese gründeten eines Tages eine eigene Gemeinde, die *Unitarisch-Protestantische Freikirche* – unter Mitnahme der gesamten Korrespondenz. Als Zeichen führten sie die aus der anglo-amerikanischen Welt bekannte Flammenschale. Weitere Gemeindemitglieder schlossen sich ihnen nicht an. Es entstand sofort der Verdacht, dass sie das aus wirtschaftlichen Gründen getan hatten. Mit dem Kontakt zu amerikanischen Organisationen verband sich damals im kriegszerstörten Berlin stets die Hoffnung auf wirtschaftliche Unterstützung. Ich glaube jedoch nicht, dass sich diese Hoffnung erfüllte. Ich selbst habe versucht, an einem Gottesdienst dieser Gemeinde teilzunehmen, wurde aber abgewimmelt: Man habe doch gerade erst einen „Abend am Kamin" veranstaltet. Gerne könne ich wieder nachfragen, doch frühestens in vier Wochen. Mein Eindruck war schon damals, dass de facto eine Gemeinde gar nicht existierte.

Noch eine dritte unitarische Gemeinde hat zeitweilig in Berlin existiert: Ich bekam vor einigen Jahren einen Anruf aus Bonn. Ein mir Unbekannter stellte sich als Journalist vor und fragte nach unseren Veranstaltungen. Er berichtete mir, er sei in den fünfziger Jahren Mitglied einer unitarischen Gemeinschaft in Berlin geworden, die sich in ihrer Lehre an die tschechische Nationalkirche anlehnte. Tatsächlich war diese zeitweilig eng verbunden mit der heutigen tschechischen unitarischen Kirche.

Viel konnte mir mein Gesprächspartner leider nicht berichten. Er selbst war von der Staatssicherheit in der DDR verhaftet worden, als er Grabsteine von Opfern des Zweiten Weltkrieges in der DDR fotografiert hatte, um die Bilder Angehörigen im Westen zu schicken. Die Stasi überstellte ihn der sowjetischen Justiz, die ihn zu einer langjährigen Freiheitsstrafe in Workuta verurteilte. Workuta war ein Straflager in Sibirien mit Temperaturen bis zu minus 60°. Deshalb wurde es von den Gefangenen die weiße Hölle genannt. Bis heute kann nur geschätzt werden, wie viele Gefangene das Lager nicht überlebten. Noch weniger ist bekannt, wie viele Gefangene an den Folgen ihrer Inhaftierung starben. Leider starb auch mein Gesprächspartner bald nach unserem Gespräch, doch hat mir seine Witwe die Richtigkeit seiner Angaben bestätigt. Zu ergänzen wäre noch, dass sich der Leiter dieser Gemeinde mit dem Titel eines Bischofs schmückte. Als mein Gesprächspartner endlich nach Deutschland zurückgekehrt war, bezeichnete sich dieser Leiter nur noch als Pfarrer. In der Folgezeit löste sich die Gemeinde auf.

3   Schirmherr Albert Schweitzer

Ebenso musste eine gefährliche politische Situation überstanden werden. Schirmherr der Unitarischen Kirche in Berlin ist Albert Schweitzer. Dieser nahm in der zweiten Hälfte der fünfziger Jahre in Ansprachen und Aufsätzen massiv Stellung gegen die atomare Bedrohung der Welt. Damit geriet er in der Zeit des Kalten Krieges in den Verdacht, ein Sympathisant des Kommunismus zu sein. Unter dem Titel *Friede oder Atomkrieg* können Sie seine Gedanken heute noch im Buchhandel erwerben. So fragte eines Tages ein Unbekannter bei Hansgeorg Remus telefonisch an, ob sich die Berliner Unitarier einem Aufruf gegen den Atomkrieg im Sinne Albert Schweitzers anschließen würden. Remus war sofort Feuer und Flamme. Die erste Unterschrift unter dem Aufruf war die eines Strohmannes, die zweite von Hansgeorg Remus, die dritte vom Vorsitzenden der SED in West-Berlin (später SEW). Damit war der Skandal perfekt. „Neue kommunistische Tarnorganisation entdeckt – die Unitarische Kirche in Berlin" titelten mehrere Zeitungen, darunter auch *Der Tagesspiegel*. Damals gab es noch kein Recht auf Widerruf. Nur mit großer Mühe gelang es dem Kirchenrat, die Zeitungen zu einer Richtigstellung zu bewegen.

Lassen Sie mich nun zum Ausscheiden von Hansgeorg Remus aus der aktiven Gemeindearbeit zurückkehren. Die Gemeinde traf sein Zusammenbruch überraschend. Der Kirchenrat suchte nach Ersatz. Er fand ihn in dem holländischen unitarischen Geistlichen H. H. van Hylkama Vlieg, dem „Meister vom Stuhl" Professor Fritz Bolt und mir. Für einige Jahre teilten wir drei uns die Arbeit. Dann erkrankte Bolt schwer. Es war aber für die Gemeinde unerschwinglich, den holländischen Kollegen noch öfter kommen zu lassen. So musste eine grundsätzlich neue Lösung gefunden werden. Am 22. Mai 1977 wurde ich auf Beschluss von Vorstand, Kirchenrat und Geistlichem zum Pfarrer ordiniert. Dies und meine eigene Trauung waren die letzten beiden Amtshandlungen von Hansgeorg Remus.

Anders als mein Vorgänger leitete ich die Gemeinde im Nebenamt. Hauptberuflich verdiente ich mein Geld im Schuldienst. Das hatte Vor- und Nachteile. Jedenfalls veränderte sich die Situation der Gemeinde.

4   Glaube und Liturgie

Woran nun glauben die Berliner Unitarier? Sie glauben an einen Gott für alle Menschen, und sie glauben, dass alle Religionen einen Weg zu Gott öffnen können. Deshalb informieren wir über unseren Glauben, aber wir missionieren nicht. Wir haben eine vollständig ausgearbeitete Liturgie mit festen Gebeten, die in jeder Gottesfeier gesprochen werden: das Unvollkommenheitsbekenntnis, das Glaubensbekenntnis, das Fürbittengebet. Wir beten auch das Vaterunser, verändern es jedoch, denn wir beten nicht „führe uns nicht in Versuchung". Wir sehen darin die Angst vor dem alttestamentarischen strafenden Gott, der rächt bis in das dritte und vierte Glied. Stattdessen beten wir: „führe du uns auch in der Versuchung". Wir sehen den Sinn unseres Lebens unter anderem darin, Versuchungen zu bestehen und nicht darin, Versuchungen zu vermeiden. Schon oft ist uns von anderen Gläubigen Recht gegeben worden, die an einer unserer Feiern teilnahmen.

Wir feierten früher auch das Abendmahl. Wir feiern es heute nicht mehr, weil es uns zu christozentrisch ist.

5   Symbol

Unser Zeichen ist ein lateinisches Kreuz mit einem Kreis, dessen Mittelpunkt mit dem Schnittpunkt der Achsen zusammenfällt. Mein Vorgänger hat es erdacht. Seine Symbolik ist vielfältig interpretierbar: Kreis und Kreuz sind die ältesten magischen Symbole der Menschheit. Die durch die Vereinigung von Kreis und Kreuz entstehenden Teilstrecken sind geteilt im Verhältnis des Goldenen Schnitts. Damit soll das Kreuz zeigen, dass sich göttliche Harmonie auch in „toter" Materie finden lässt. Nicht zuletzt ähnelt es den keltischen Hochkreuzen, wobei der Kreis dann meist als Sonnenrad interpretiert wird, also als Zeichen einer vorchristlichen Religion. Wir Berliner Unitarier freuen uns an dieser vielfältigen Symbolik und verleihen unseren Konfirmandinnen und Konfirmanden am Tage der Konfirmation die Miniatur eines Keltenkreuzes als Anhänger.

Abbildung 2: Symbol der Unitarischen Kirche in Berlin

6   Konfirmation

Damit sind wir bei der Konfirmation angekommen. Wir kennen Taufe, Konfirmation, Trauung und Beisetzung, doch haben Taufe und Konfirmation eine andere Bedeutung als bei den christlichen Kirchen. Mit der Taufe wird der Täufling gesegnet und der Gemeinde vorgestellt als ein junges Wesen, das vielleicht einmal die Hilfe der Gemeinde brauchen könnte. Mitglied der Gemeinde wird er nicht. Das geschieht erst durch die Konfirmation. Die Mitgliedschaft soll auch von dem jungen Menschen eigenverantwortlich angestrebt werden. In der Bundesrepublik Deutschland wird der Bürger mit 14 Jahren religionsmündig, kann also seine Religionszugehörigkeit selbst bestimmen. Etwa 14 Jahre alt sind auch unsere Konfirmanden bei der Konfirmation. Sie werden zu Beginn des Konfirmandenunterrichts darauf hingewiesen, dass die Teilnahme freiwillig ist. Bei der Konfirmation sprechen sie mit dem Pfarrer am Altar das Glaubensbekenntnis und werden gefragt, ob sie dieser Gemeinschaft angehören möchten. Erst wenn sie diese Frage bejaht haben, sind sie aufgenommen. Tatsächlich hat noch nie jemand diese Frage verneint, es gibt aber Familien, in denen es konfirmierte und nicht konfirmierte Geschwister gibt.

Grundsätzlich bleibt es aber bei der Feststellung, dass Mitgliedschaft für uns etwas Nachgeordnetes ist. Wir wünschen uns, dass Menschen kommen und sich bei unseren Feiern und in unserer Gesellschaft wohlfühlen, gedanklich aus der Ansprache des Pfarrers und den Gebeten etwas mitnehmen, über das sie nachdenken können und sich insgesamt bereichert fühlen. Allerdings müssen wir bei so viel vornehmer Zurückhaltung aufpassen, dass wir nicht aussterben. Werbung also muss sein – Missionierung aber auf gar keinen Fall.

7 Mitglieder

Wen zieht unsere Gemeinde an? Wir ziehen Menschen aller Altersgruppen an, mehrheitlich jedoch ältere. Der Anteil von Künstlern ist in unserer Gemeinde überdurchschnittlich hoch, eben von Menschen, die sich Freiheit und Unabhängigkeit bewahren wollen und keine Gängelung wünschen. Als Bildhauer ist Robert Sake zu nennen; als „Hobby"-Bildhauer der Staatsschauspieler Alexander Engel.

Auf unsere musikalische Tradition sind wir stolz. Lange Zeit hat Renate Posegga unsere Gottesfeiern musikalisch ausgestaltet, und sie ist nicht die einzige in der Reihe unserer Musiker! Ihr Mann war Wilhelm Posegga, Konzertmeister und erster Solocellist der Berliner Philharmoniker. Beide waren Mitglied der Dresdener Philharmonie, flohen dann nach West-Berlin. Hier brachte Renate Posegga das Opfer ihres Lebens: Wilhelm Posegga war ein begnadeter Künstler und wurde bald Mitglied der Berliner Philharmoniker. Diese nahmen jedoch keine Frauen auf. So zog sich Renate Posegga ins Private zurück, förderte jedoch nach Möglichkeit junge Nachwuchsmusiker wie den Schweizer Tenor Raymond Voyat. Sie begleitete ihn und förderte ihn nach Kräften. Sein Debut in Berlin gab er in der Dahlemer Bücherstube. Das klingt nach wenig, war aber für den Insider ein Signal! Tilly Meier, die Inhaberin der Dahlemer Bücherstube, hatte mit Geschick und Kompetenz eine Tradition geschaffen, dass die bedeutendsten Künstler Deutschlands in ihrer Bücherstube gastierten. Nicht nur Wilhelm und Renate Posegga konzertierten dort. Das Gästebuch verzeichnet zahlreiche bedeutende Künstler der Zeit: Karla Höcker, Hertha Klust, Joseph Greindl, Karl-Heinz Taubert. Auch Werner Bergengruen las aus eigenen Werken, ebenso die berühmte Tänzerin Mary Wigman. Die Reihe ließe sich leicht fortsetzen. Dort also sang Raymond Voyat Beethoven, Schubert und Schumann. Trotz zahlreicher musikalischer Erfolge in aller Welt blieb er unserer Gemeinde zeitlebens ein guter Freund und gab noch 1997 ein Konzert zu Ehren von Katharina Ziegler, einem Gemeindemitglied, das viele Jahre die Geschicke der Gemeinde mitgelenkt, die Gestaltung des UNITARIERs verantwortet hat.

Heute versieht mit Liebe StD'n Barbara Fink die musikalische Gestaltung unserer Feiern. Vorher hatte diese Aufgabe ihre Schwester StD'n Gisela Schröder-Fink erfüllt.

Auch Käte Kruse muss hier genannt werden. Sie war von unserem unitarischen Glauben so überzeugt, dass ich bei ihrem Tod 1968 einen Anruf ihrer Tochter erhielt, ich möge ihr doch den Ablauf einer unitarischen Totenfeier per Telefon durchgeben, denn sie selbst (die Tochter) wolle ihr (der Mutter) doch eine würdige unitarische Feier gestalten, und ein unitarischer Geistlicher stünde schließlich in München nicht zur Verfügung.

8   Wiedergeburt

Ich komme nun auf eine Besonderheit im Glauben der Berliner Gemeinde zu
sprechen. Die Berliner Unitarier bejahen den Gedanken der Wiedergeburt, natürlich ohne ihn zu einem Dogma zu erheben. Wie konnte es dazu kommen? Meine
Fragen zur Geschichte und Entstehung unserer Gemeinde sind vor Jahrzehnten
nicht sehr gründlich beantwortet worden. Das war mir nicht wichtig, denn ich
hatte damals noch nicht vor, einmal für diese Gemeinde Verantwortung zu übernehmen. So kamen mir viele Fragen zu spät in den Sinn, als sie schon keiner mehr
beantworten konnte. Immerhin ist mein Vorgänger seit über dreißig Jahren tot.
Von der Gründergeneration lebt niemand mehr. Betreffs der Wiedergeburt hieß es,
es habe ja in der Anfangsphase der Gemeinde eine Anzahl theosophischer Mitglieder gegeben, die diesen Gedanken in die Gemeinde und die Glaubenslehre hinein-
getragen hätten. Tatsächlich gab es eine enge Beziehung zwischen der Unitarischen
Kirche in Berlin und der theosophischen *Loge Blavatsky*. Als ich zur Gemeinde
stieß, war die damalige Vorsitzende Beatrice Flemming eine sehr engagierte Leite-
rin, die durch ihre Aktivitäten wie durch ihre Persönlichkeit zahlreiche Interessenten faszinierte. Sie war Ehrenmitglied der Unitarischen Kirche, wie Hansgeorg
Remus Ehrenmitglied der theosophischen Gesellschaft war. Über diese Brücke
kam auch meine Familie zu den Unitariern. Die Lieblingsschwester meiner Mutter
war Mitglied der Loge, lernte bei einem Vortrag Hansgeorg Remus kennen und
erklärte der überraschten Familie, nun habe sie zur Philosophie die passende Religion gefunden.

Dennoch ist das keine Erklärung. Meine Tante, Katharina Ziegler, ist etwa
1960 zur Gemeinde gestoßen. Auf die Liturgie hat sie keinen Einfluss genommen.
Aber auch die Mitglieder der ersten Stunde können das nicht getan haben. Irmgard
Remus hat mir gegenüber immer betont, dass Hansgeorg Remus, als er die Ge-
meinde gründete, die Liturgie fertig ausformuliert hatte. Pfarrerssohn in vierter
Generation hatte er sich bereits in den letzten Kriegsjahren mit dem unitarischen
Glauben beschäftigt. Das trug ihm, so Irmgard Remus, die Strafversetzung an die
Ostfront ein. Jedenfalls hat er es immer als ein Walten der Vorhersehung betrachtet, dass er fast unverletzt in die Kriegsgefangenschaft ging und auch früh nach
Hause zurückkehrte. Hier legte er die Liturgie und weitere Texte schriftlich nieder
und gründete anschließend die Gemeinde. Kein Mitglied der ersten Stunde konnte
also auf diese Liturgie Einfluss nehmen, doch finden wir hier bereits im Glaubensbekenntnis die Worte: „Ich glaube an … die Auferstehung im Fleische." Wie kam
dieser Gedanke in unsere Liturgie?

Lange blieb diese Frage unbeantwortet. Dann, Anfang des Jahres 2011, stieß
ich in einem Antiquariat auf ein Heft, kaum größer als ein Oktavheft, aus dem
Jahre 1948 mit dem Titel *Gibt es ein ewiges Leben? Ansprache zum Totengedenken* von
Albert Höpner.

Auf der Innenseite steht: „Sonderdruck, herausgegeben von der Leitung der Unitarischen Kirche Hannover, Gretchenstr. 29, mit Sondergenehmigung der Militärregierung". Es folgen Lizenznummer und Verlag.

Ich war sofort alarmiert. Wer hatte je von einer Unitarischen Kirche Hannover gehört? Niemand, wen immer ich auch fragte. Ich schrieb an den Verlag, ob es weitere Druckschriften gebe, erhielt aber nur die frustrierende Antwort, der heutige Verlag Friedrich Mahnke, Verden/Aller, habe diese Schrift nicht gedruckt, sondern der gleichnamige Verlag des verfeindeten Bruders. Der aber sei längst bankrott; seine Bestände aufgelöst resp. vernichtet.

Hier kann also nur mühsame Forschungsarbeit in den Archiven weiterführen. Wer war unter der angegebenen Nummer bei der britischen Militärregierung – denn Hannover war britisch – registriert? Was steht in den Akten des Archivs der Stadt Hannover? Ich denke, das könnte noch einmal eine ergiebige Forschungsaufgabe werden.

Was mich dann aber vollends alarmierte, war der Inhalt der Ansprache. Der Verfasser bekennt sich ohne Wenn und Aber zur Wiedergeburt. Nun muss man aber wissen, dass Hansgeorg Remus in Hannover zum unitarischen Pfarrer ordiniert worden ist und dort den Auftrag erhielt, in Berlin eine Gemeinde aufzubauen. Aber wer könnte ihn in Hannover ordiniert und dann nach Berlin geschickt haben?

9   Verbindung zu Rudolf Walbaum

Die Antwort lautet: Rudolf Walbaum. Dieser bedeutende Geistliche des vorigen Jahrhunderts war ursprünglich evangelisch, wurde dann freireligiös. Auf dem Berliner 5. *Weltkongress für freies Christentum und religiösen Fortschritt* lernte er die amerikanischen Unitarier kennen und gab seither die Zeitung *Der Freiprotestant* mit dem Untertitel *Deutsch-unitarische Blätter* heraus. Eine weitere Parallele fällt auf: Wir Berliner nennen unseren Gottesdienst eine Gottesfeier. Der gleiche Begriff findet sich in der Ansprache.

So bleibt als Fazit: Hansgeorg Remus wurde in Hannover von Rudolf Walbaum ordiniert und brachte von dort den Gedanken der Wiedergeburt und die Bezeichnung „Gottesfeier" nach Berlin. Allerdings entstehen hier neue Fragen: Wie stand die Unitarische Kirche Hannover zu Rudolf Walbaum – und umgekehrt er zu ihr? War die Frage der Reinkarnation ein Streitpunkt oder war Walbaum in seinen letzten Lebenstagen ein Vertreter der Wiedergeburt? Auch hier liegt noch einige Forschungsarbeit vor uns!

10   Gemeinschaft heute

Ich komme zur heutigen Situation der Berliner Unitarier. Wie schon erwähnt, habe ich die Gemeinde stets im Nebenamt geleitet. Das Schicksal meines Vorgängers war eine sehr deutliche Warnung. Natürlich fehlt nun der Zugang durch die Rat-

und Hilfe-Suchenden, die früher über eine Beisetzung zu uns fanden. Ich denke aber, dass auch unter anderen Umständen die Zahl dieser Menschen immer weiter abgenommen hätte. Im „entchristlichten" Berlin verweigern die Pfarrer ihre Hilfe nicht mehr. Jedenfalls ist mir in den letzten zwanzig Jahren solch ein Fall nicht mehr zu Ohren gekommen. Viele Religionsgemeinschaften verlieren Mitglieder oder stagnieren. So sind wir froh, dass unsere kleine Berliner Gemeinde unverzagt existiert, wenn sie zurzeit auch nicht wächst. Sehr hilfreich dabei ist für uns, dass es in Berlin eine *Arbeitsgemeinschaft der Kirchen und Religionsgesellschaften* (AKR) gibt, deren Vorsitzender ich seit einigen Jahren bin, die bereits 1947 gegründet wurde. Gründungsvater war der seinerzeitige und in Berlin heute noch legendäre Landesbischof Otto Dibelius zusammen mit seinem Stellvertreter, Propst Dr. Heinrich Grüber. Von Gründungsbeginn an suchten sie die Zusammenarbeit mit allen Religionsgemeinschaften in Berlin. Eine Ausgrenzung sogenannter Sekten sollte es nicht mehr geben. Mehr als dreißig Gemeinschaften kamen zu ihrer Gründung zusammen und nahmen ihre Arbeit auf unter der Präambel:

> Getragen von dem Willen,
> in gegenseitiger Achtung ihrer Eigenständigkeit
> für die Werte und die Freiheit religiösen Wirkens einzutreten,
> bilden Kirchen und Religionsgesellschaften
> eine Arbeitsgemeinschaft.

Zu unserem Bedauern haben sich die evangelische wie die römisch-katholische Kirche inzwischen aus der aktiven Arbeit zurückgezogen. Sie vertreten heute wieder den Anspruch, zwischen guten Christen und abtrünnigen Sektierern zu unterscheiden, und meiden die Zusammenarbeit mit letzteren. Das stört die Arbeit der AKR aber nur wenig. Zusammen mit der Abteilung für Religions- und Weltanschauungsfragen beim Kultursenator von Berlin hat sie eine „Lange Nacht der Religionen" initiiert, an der sich über sechzig Gemeinden der verschiedensten Zugehörigkeit beteiligt haben, die zusammen mehrere tausend Besucher zählen konnten. Dies hat alle beteiligten Gemeinschaften ermutigt, im Jahre 2013 die nächste „Lange Nacht der Religionen" durchzuführen und allen Teilnehmern das Gefühl gegeben, gemeinsam für eine gute Sache zu kämpfen. In diesem Jahr feiern wir nun schon die 6. Nacht.

Einzeln und frei oder gemeinsam für die Freiheit? Was und wie können freie Religionsgemeinschaften in der Gesellschaft wirken

Renate Bauer

1 Einleitung

Heute scheinen die Stimmen gerade konservativer religiöser Gruppen besonders laut zu ertönen und werden damit in der Gesellschaft sehr stark wahrgenommen. Anders ist dies mit liberalen Gemeinschaften. Nicht, dass sie sich nicht auch zu Wort melden, das tun sie, aber abwägende, eher sachliche Stellungnahmen haben nicht den gleichen medialen Effekt wie Klagen über die Verletzung religiöser Gefühle. Aber das ist nur die eine Seite, wesentlicher noch ist die Frage, ob und zu welchen gesellschaftlich wichtigen Themen Freie Religion überhaupt etwas zu sagen hat oder zu sagen haben will. Und hinzu kommt die Frage, ob es nicht wichtig ist, dass Freie Religion viel stärker mit anderen zusammen spricht, auch im Wissen, wie schwer die Vielfalt der Meinungen dabei nach außen darzustellen ist. Meine These lautet: Freie Religion wird mehr miteinander für die Freiheit eintreten können, wenn sie als Haltung, nicht als Inhalt aufgefasst wird. Dass diese Haltung dann sehr wohl in gemeinsame Inhalte münden kann, das ist das Spannende und die besondere Aufgabe Freier Religion und Weltanschauung. Nun gibt es auch im Bereich Freien Denkens und Freier Religion schon Kooperationen zwischen Gemeinschaften, die sehr unterschiedlich in ihrer Grundhaltung und Einstellung sind und trotzdem funktionieren. Eine solche Kooperation stellt seit vielen Jahren der *Dachverband Freier Weltanschauungsgemeinschaften* dar.

Zu Beginn nehme ich kurz Bezug auf ein für die Diskussion der Tagung relevantes Ziel, das der *Dachverband Freier Weltanschauungsgemeinschaften e.V.* neben anderen verfolgt, damit klargestellt ist, in welchem Verband die *Unitarier – Religionsgemeinschaft freien Glaubens* Mitglied ist:

> Der DFW vertritt die Auffassung, dass Werte und Normen eines Gemeinwesens nur bei Wahrung der Würde jedes Einzelnen im Dialog vereinbart werden können. Intolerante Ideologien, völkische Denkweisen und andere Formen des Rassismus, Dogmen, autoritäre Strukturen sowie Gewaltanwendung und -androhung stehen im Widerspruch hierzu.[1]

Dieses Zitat aus der Satzung verdeutlicht die ausdrückliche Ablehnung rechtsextremen Gedankenguts und nationalistischer Einstellungen der im DFW zusammengeschlossenen Organisationen, von denen einige Verfolgungen während der Nazizeit erlitten. Im Weiteren wird diese Frage von mir nicht mehr berührt werden.[2] Jetzt komme ich zu meinem Thema, der Frage nach dem Wirken Freier Religion in unserer Zeit.

2   Öffentliche Situation heute

Europaweit, weltweit, insofern die UN-Menschenrechtskonvention staatlicherseits anerkannt wird, ist das Recht auf Religions- und Glaubensfreiheit gesetzlich verankert. In vielen europäischen Staaten gibt es eine mehr, gewöhnlich eher weniger vollständige Trennung zwischen Staat und Kirche, oder zumindest die Anerkennung unterschiedlicher Religionen und Weltanschauungen als einander gleichwertig, wenn auch das Verhältnis des Staates zu den Organisationen oft nicht unparteiisch ist. Organisationen Freier Religion können in vielen europäischen Staaten ungehindert arbeiten. Das ist die eine Seite.

Auf der anderen Seite wird das gesellschaftliche Klima im Bereich Religion rauer. Viel deutlicher als früher melden sich konservative bis fundamentalistische religiöse Gruppierungen zu Wort, verlangen Rücksichtnahme auf religiöse Gefühle, verlangen Respekt gegenüber ihren religiösen Traditionen, selbst wenn diese nicht mit den Menschenrechten vereinbar sind. Bei einer ganzen Reihe von Verlautbarungen aus solchen Reihen kommt auch eine Abwertung anderer religiöser und weltanschaulicher Auffassungen zum Ausdruck. Kirchen verlangen Mitspracherecht bei der Formulierung von Gesetzen, die dann für alle gelten sollen. Oder die Beibehaltung konfessionellen Unterrichts etwa in Deutschland erweist sich auch als hinderlich für freireligiöse Organisationen, da hier einige Religionen Un-

---

[1] *Satzung des Dachverbandes Freier Weltanschauungsgemeinschaften e.V.* vom 2. November 1991, zuletzt geändert am 25. Oktober 2008: § 2, Abs. 6. Die Formulierung „völkische Denkweisen und andere Formen des Rassismus" wurde am 15. Oktober 2000 eingefügt.
[2] Vgl. dazu auch den Beitrag von Jörg Last in diesem Band.

terstützung bei der Betreuung ihrer Mitglieder finden, die anderen nur schwer möglich ist.

Die mediale Darstellung von Religion richtet sich aus nach den traditionellen Definitionen. Vorstellungen von Religion als Glaube an einen Gott und an ein Jenseits, mit fester verbindlicher Glaubenslehre und Bekenntnis prägen das Bild der Menschen von Religion und Weltanschauung. Das machen mir Diskussionen im privaten wie im öffentlichen Raum immer wieder deutlich.

Freie Religion und Weltanschauung – das wäre mein erstes Fazit – existiert heute in einem Spannungsbereich zwischen privater, subjektiver und per Gesetz garantierter Freiheit und einer öffentlichen Nichtwahrnehmung. Vertreter des öffentlichen Lebens und Journalisten sind oft erstaunt, dass es uns überhaupt gibt. Und immer noch finden wir eine öffentlich vorhandene Bevorzugung traditioneller Religionen im institutionellen Bereich.

Organisationen Freier Religion entwarfen in der Vergangenheit mehrere Handlungswege: zum einen die Ausgestaltung eines Gemeindelebens, bei dem systematisch die gleichen Rechte wie bei anderen traditionellen Religionen eingefordert und praktiziert wurden, zum anderen Kritik an der Bevorzugung der Kirchen und die Forderung nach Abschaffung von deren Sonderrechten, nach einer Trennung von Staat und Kirche. Oft wurde auch beides kombiniert.

3   Sind frühere Antworten unserer Organisation heute noch angemessen?

Menschen nehmen ihr Grundrecht auf Religionsfreiheit individuell wahr. Sie verlassen traditionelle Religionen und bleiben dabei häufig ohne weitere Bindung an eine Religionsgemeinschaft. Oft nehmen sie sich aus dem Angebot anderer Religionen und Weltanschauungen das für sie Ansprechende ohne nachzufragen, ob und wie die ausgewählten Lehren und Riten zusammenpassen. Aber insgesamt ist das Interesse an Religion gering, wird vor allem oder fast nur noch wach bei wichtigen Lebensereignissen. Ihre subjektive Freiheit reicht vielen aus, sie arrangieren sich dann mit konträren institutionellen Vorgaben wie Religionsunterricht, verlangter Konfessionszugehörigkeit aufgrund des Arbeitsplatzes, konfessionellen Kindergärten, Krankenhäusern usw. eher pragmatisch. Eine Bestimmung ihres Lebens durch Religion findet in ihren Augen nicht mehr statt. Selbst die Zugehörigkeit zu einer Konfession zwingt niemanden heute noch zu einem Festhalten an deren Glaubenslehren. Gemeinschaft kann man unabhängig von Religion erfahren, und ein Zugehörigkeitsbedürfnis zu einer Organisation aufgrund einer gemeinsamen religiösen oder weltanschaulichen Position wird nur von einer Minderheit erfahren.

Damit sind die Institutionen Freier Religion und Weltanschauung eher schwach, zwar gibt es Lippenbekenntnisse vieler, die ihre Ideen und Auffassungen für gut befinden, aber Unterstützung wird nur von wenigen als notwendig erachtet. Freireligiöse Institutionen gehen meines Erachtens eher hilflos damit um. Sie setzen entweder auf die reine Betreuung ihrer Mitglieder in religiöser Hinsicht, ohne sich in aktuelle gesellschaftliche Diskussionen überhaupt einzumischen, oder sie diskutieren, inwieweit sie überhaupt noch Religion sind oder schon Weltanschauung, verrennen sich also in Begrifflichkeiten. Einige freie Weltanschauungen beziehen auch explizit Gegenpositionen zu Religion überhaupt, übernehmen damit die traditionellen Definitionen von Religion und arbeiten vor allem politisch, um den Einfluss des Religiösen in der Gesellschaft insgesamt zurückzudrängen.

Diese Formen des Umgangs sind nicht neu, sie sind in der Vergangenheit ebenso aufzuzeigen wie jetzt. Und auch schon in der Vergangenheit waren die Folgen nicht immer positiv. So spalteten sich im 19. Jahrhundert freireligiöse Gemeinden aufgrund unterschiedlicher Auffassungen, wie politisch sie sein sollten. Oder in der Weimarer Zeit formierten sich ganze Organisationen nach diesem Unterschied. Dies geschah etwa, als sich der *Bund Freireligiöser Gemeinden Deutschlands* 1924 mit dem *Deutschen Freidenkerverband* zusammenschloss. Da verließen eine ganze Reihe freireligiöser Gemeinden den BFGD und bildeten einen eigenen Verband, um rein auf das Religiöse konzentrierte Gemeinden zu bleiben.[3] Oder in der heutigen Zeit halten sich ganze Gemeinschaften bewusst abseits, weil sie ein Einbringen in aktuelle Themen nicht für sinnvoll halten, Spaltungen usw. aufgrund politischer Diskussionen in ihren Gemeinschaften befürchten, während andere sich explizit gesellschaftlich engagieren und eher wenig für das spirituelle Leben ihrer Mitglieder tun. Man kann also heute alle Möglichkeiten wiederfinden.

4   Soll sich daran etwas ändern?

Da ich Präsidentin des DFW bin, können Sie annehmen, dass ich eine bestimmte Form des Umgangs favorisiere, nämlich ein Engagement der Freien Religion in und für die Gesellschaft, ihr Einbringen in aktuelle Themen und ethische Probleme. Wie komme ich dazu?

Ich will anhand meiner subjektiven Entscheidung einige Argumente vorbringen, die dafür sprechen. Als Landessprecherin einer freireligiösen Gemeinde bin ich sehr mit der individuellen Betreuung der Mitglieder und anderer Personen beschäftigt. Dabei stoße ich immer wieder auf institutionelle Vorgaben, die diese Arbeit mitbestimmen, auch wenn sie mit meinen Vorstellungen von Freier Religion, von Selbstbestimmung überhaupt nicht übereinstimmen. Außerdem tragen die Mitglieder Themen an mich heran, die sie von der Position einer Freien Religion aus besprochen wissen wollen. „Darf ich einem Angehörigen bei einem Suizid beistehen, weil er /sie sich eine letzte Leidensphase ersparen will?" „Welche Position soll ich als Lehrer beziehen, wenn meine muslimische Kollegin unbedingt mit Kopftuch in die Schule kommen will?" Oder die Erfahrung, dass eine Freie Religion öffentlich herabgewürdigt, ihre Existenz geleugnet wird. Da steht bei einer

---

[3] Vgl. Carl Peter: *Der Bund Freireligiöser Gemeinden Deutschlands. Beiträge zur Geschichte einer Kulturbewegung im 20. Jahrhundert.* Teil I, S. 45. Private Aufzeichnung im Archiv Freireligiöse Landesgemeinde Pfalz.

Jubiläumsfeier eines Dorfvereins der evangelische Pfarrer auf und begrüßt alle Anwesenden mit „wir sind doch alle Christen", obwohl er genau weiß, dass ein Drittel der Anwesenden freireligiös ist und sich nicht als Christ bezeichnet.

Auch in das alltägliche Leben freireligiöser Menschen dringen öffentliche Themen ein und verlangen, dass ein Standpunkt bezogen wird. Institutionelle Vorgaben werden als Einengung der individuellen Religionsfreiheit erfahren. Die eigene Position wird als nicht gleichwertig geachtet. Sie passt oft auch nicht in institutionelle Schemata: „Das soll Religion sein? Das ist doch bloß eine Weltanschauung." Den Unterschied kann dann niemand genau angeben, abgesehen davon, dass im Grundgesetz Religions- und Weltanschauungsgemeinschaften gleichgestellt sind. Solche Erfahrungen haben mich bewogen, das gesellschaftliche Engagement Freier Religion und Weltanschauung zu befürworten und zu unterstützen.

Keine Person existiert für sich allein, keine Gemeinschaft Freier Religion lebt für sich allein. Alle sind vielfältig mit der Gesellschaft verbunden, eingebunden in ihre Netze und Vorgaben. Auch wenn diese Netze und Vorgaben sehr weitmaschig sind, sie sind da, sie sind auch nicht zu beseitigen, sollen auch nicht verschwinden, denn sie sind notwendig. Aus der Haltung einer Freien Religion und Weltanschauung heraus erachte ich es daher als Pflicht, an diesen Vorgaben mitzuwirken, sie – wenn irgend machbar – so zu beeinflussen, dass ein Leben einer Freien Religion und Weltanschauung möglich ist. Es ist eine Grunderfahrung Freier Religion, dass dort, wo traditionelle Religionen die Vorgaben stärker beeinflussen, ein solches Leben immer mit Einschränkungen verknüpft ist. Subjektive Freiheit ist an objektive Freiräume gebunden. Die Erhaltung und Erweiterung der objektiven Freiräume anderen zu überlassen, halte ich für nicht freireligiös und beschämend, es ist verantwortungslos, wenn ich Freiheit will, aber nichts dafür tue. Und sich mit subjektiven Freiräumen zu begnügen, ist menschlich auf Dauer zerstörerisch.

5   Die Basis gemeinsamen Arbeitens: Freie Religion und Weltanschauung als Haltung

Damit habe ich schon angeschnitten, aus welchen Überlegungen heraus ich meine, dass wir über inhaltliche und organisatorische Differenzen hinweg zu einem gemeinsamen Auftreten im öffentlichen Raum kommen können und sollen.

Freie Religion und Weltanschauung beruht auf einem Prozess des Denkens, Suchens und Prüfens, sie beruht auf einer Haltung der Offenheit und Achtung. Meine Freiheit lebt als meine Verantwortung, sowohl für mich als auch für das Ganze. Freie Religion und Weltanschauung lebt vom Wissen um die Grenzen unserer religiösen und weltanschaulichen Wahrheiten. Daher muss sie auch dafür eintreten, dass die Auswirkungen solcher Wahrheiten immer nur begrenzt sind und die Freiheit, sich eigene zu suchen, immer möglich.

Daraus folgt eine Verpflichtung Freier Religion und Weltanschauung, für die Voraussetzung, von der sie lebt, nämlich die Freiheit, auch einzutreten. Und das kann sie unabhängig davon, ob sie sich unitarisch nennt oder freireligiös, oder humanistisch oder freigeistig. Sie kann es auch unabhängig davon, ob ein Gottesbild angenommen wird oder nicht, ob sich jemand als religiös empfindet oder seine Überzeugung eine Weltanschauung nennen will.

Wenn wir uns die Diskussionen der heutigen Zeit ansehen, dann geht es immer wieder um die Frage nach Bewahrung bzw. Erweiterung von Freiräumen, damit von Freiheit, es geht um Fragen der Befähigung des Menschen zur Freiheit und zum Leben und um die Verantwortung für das Ganze. All das sind Themen, die für Freie Religion und Weltanschauung überlebenswichtig sind. Wir werden oft als säkulare Verbände bezeichnet. Viele meinen damit, dass wir Religion abschaffen wollten. Aber säkular sind wir insofern, als wir begriffen haben, dass eine Neutralität des Staates in Sachen Religion und Weltanschauung unbedingt nötig ist, damit Religion auch anders gelebt werden kann als nur in traditionellen Gemeinschaften, traditioneller Form und dogmatischen Glaubenslehren und abhängig von einer Mehrheitsreligion. Wir sind säkular, aber nicht, weil wir die Religion nicht wollen, sondern weil wir unsere eigene Religion und Weltanschauung leben wollen.

Thomas Mann und die *First Unitarian Church of Los Angeles*

Heinrich Detering

So gründlich das Verhältnis Thomas Manns zur Religion ausgeleuchtet worden ist – seine späte und dauerhafte Hinwendung zur Unitarischen Kirche in den USA hat bis heute im Dunkel gelegen: als hätte niemand erwartet, dass abseits der großen Scheinwerferkegel überhaupt noch etwas Wesentliches unbemerkt geblieben sein könnte. Das ist immerhin erstaunlich, wenn man bedenkt, in welch starken Ausdrücken Thomas Mann nicht nur im amerikanischen Exil, sondern noch nach seiner Rückkehr nach Europa dieses Verhältnis beschrieben hat. Jahrelang sei der Unitarismus seinem Herzen nahe gewesen, schreibt er 1951, „close to my heart"; und „selten, wenn überhaupt je", habe er „ein so lebhaftes und militantes Interesse an irgendeiner religiösen Gruppe" genommen. Den Unitariern fühle er sich „auf mancherlei Weise verbunden, auf persönliche und allgemein geistige"; ihnen verdanke er, so ist in der *Entstehung des Doktor Faustus* nachzulesen, „die angenehmste kirchliche Erfahrung, die ich gemacht habe". „My interest in and warm sympathy for Unitarianism", so schreibt er 1950, „are of long standing. [...] Moreover, the First Unitarian Church of Los Angeles is particularly close to my heart and mind." Und noch wenige Monate vor seinem Tod schreibt er aus Kilchberg dem unitarischen Pastor aus Los Angeles, den er seinen Freund nannte: „Der Geist Ihrer Kirche [...] – dieser Geist ist es, der mich anzieht, seit ich ihn kennen lernte [...]". Von keiner anderen Religionsgemeinschaft hat Thomas Mann so gesprochen, weder von der lutherischen Kirche, die doch ein unentbehrlicher Teil Lübecks als geistiger Lebensform war, noch von der katholischen, deren kosmopolitische und traditionsbewusste Humanität ihn in diesen späten Jahren auf eine ganz andere Weise anzog. Selten, vielleicht niemals ist er einer ‚Konfession' so nahe gekommen wie hier.[1]

Diese Anteilnahme reicht bis tief ins Private und ins Rituelle. Seine jüngste Tochter und ihr Mann wurden von einem unitarischen Geistlichen getraut, Unitarier verhalfen seinem Sohn Golo und seinem Bruder Heinrich zur Flucht aus Europa. Hatte Thomas Mann seine Kinder noch, der Familientradition folgend, in die lutherische Kirche hinein taufen lassen, so wurden alle seine vier Enkel, und zwar allein auf seinen Wunsch hin, in der *First Unitarian Church* in Los Angeles getauft. Für die Gemeindebriefe ebendieser Gemeinde hat Thomas Mann Beiträge verfasst, in ihr hat er selber die Kanzel als Gastredner in einem Gottesdienst betreten, an den der Pfarrer seine Gemeinde noch lange erinnerte – um dann seinerseits rückblickend zu erklären, Thomas Mann habe damals aktiv daran mitgewirkt, „to define the concept of religion we were attempting to circulate". Als Heinrich Mann starb, da hat auch ihn, wiederum auf Thomas Manns Wunsch hin, dieser unitarische Geistliche begleitet. Noch über den Tod hinaus bleibt Thomas Mann ihm in Erinnerung als „one of our most cherished friends". Und es gibt wenig Grund, daran zu zweifeln, dass dies auch dessen eigener Auffassung entsprach.

Nichts von alldem hat in den umfangreichen Forschungen und Diskussionen über Thomas Manns Verhältnis zur Religion bislang eine Rolle gespielt. Lange Zeit war es allein sein Enkel, der Schriftsteller Frido Mann, der auf diese Bedeutung der Unitarischen Kirche für Thomas Manns religiöse und kirchliche Orientierungen aufmerksam machte, mit ganz unzureichender Resonanz. Das frappierende Desinteresse der Leser und Forscher könnte mit einem transatlantischen Vorurteil zu tun haben, das den Fokus der Wahrnehmung verändert: einer unreflektierten kulturellen Indifferenz nämlich von Europäern gegenüber einer sehr spezifisch amerikanischen Institutionsform des Religiösen. Es ist, mit dem Titel von Hans Rudolf Vagets Buch zu sprechen, *Thomas Mann, der Amerikaner*, der sich ihr öffnet. In der Hinwendung Thomas Manns zur Unitarischen Kirche kulminiert sein Bemühen, eine Synthese zu finden zwischen den politischen, philosophischen und religiösen Traditionen seiner eigenen Herkunft und denjenigen einer amerikanischen Kultur, der er sich soweit wie möglich anzunähern versuchte und die ihm eine neue Heimat werden sollte.

Weithin gewann der liberale Unitarismus unter den deutschen Exilanten, die in Amerika Zuflucht vor dem Nationalsozialismus gefunden hatten, eine bemerkenswerte Anziehungskraft. So wie Albert Schweitzer oder, als der theologisch vielleicht einflussreichste amerikanische Zeitgenosse, der zum Unitarier gewordene John Luther Adams, sympathisierten mit ihm auch protestantische Theologen wie Reinhold Niebuhr und Paul Tillich, an deren liberalem *Union Theological Seminary* in

---

[1] Der vorliegende Text resümiert Thesen und Reflexionen meiner 2012 bei S. Fischer erschienenen Studie *Thomas Manns amerikanische Religion. Theologie, Politik und Literatur im kalifornischen Exil*. Um die Vortragsform beizubehalten, wird hier auf einzelne Belege und Nachweise von Zitaten verzichtet. Sie finden sich in der Buchausgabe ebenso wie die vollständigen Texte der zitierten Dokumente.

New York auch Thomas Mann schließlich sein gewandeltes Bild der Religion vorgestellt hat.

Dieser Wandel hatte fast unmerklich schon lange vor dem Exil begonnen, schon mit der Rede *Von deutscher Republik*, die 1922 seine Wende zum Demokraten markiert. Während der Arbeit an diesem Text nämlich schenkte der befreundete Übersetzer Hans Reisiger ihm seine große, kommentierte Übertragung der Werke Walt Whitmans. Damit eröffnete er ihm schlagartig einen neuen Zugang zu Amerika. In einem offenen Brief an Reisiger schreibt Thomas Mann, „daß das deutsche Publikum Ihnen garnicht genug wird danken können für diese große, wichtige, ja heilige Gabe." Die Lesespuren in Thomas Manns Whitman-Ausgabe zeigen, warum. Unter den Versen und Sätzen, die er sich anstreicht, sind Maximen wie: „Die Demokratie soll nichts Geringeres sein, als die menschliche Sphäre, in der ihre Einzelnen miteinander leben". Gemeint ist damit die Demokratie des jungen Amerika als des Vorbilds einer utopischen Vereinigung aller Menschen. „Ich werde", notiert Whitman, „die Worte Amerika und Demokratie als gleichbedeutende Ausdrücke gebrauchen." Unversehens wird dieser demokratische Universalismus zu einer genuin religiösen Größe. „Denn", und auch diesen Satz streicht Thomas Mann an, „im Herzen der Demokratie ruht letzten Endes das religiöse Element. Alle Religionen, alte wie neue, wohnen dort."

Diese neue Einsicht hat unmittelbare Folgen für Thomas Manns Verständnis seiner eigenen, deutschen Traditionen. Wenn etwa der junge Romantiker Novalis die „christliche Religion" als „Keim alles Demokratismus" verstehe, dann, so heißt es in der Republikrede, sei er „mit solchen Gedanken dem Amerikaner sehr nahe, der gesagt hat, im Herzen der Demokratie ruhe letzten Endes das religiöse Element". Was immer der amerikanische Exilant eines fernen Tages in der Begegnung mit der *Unitarian Church* als Institution wiederentdecken wird: es ist eigentlich fast alles schon früh vorhanden. Bereits Thomas Manns republikanische Wende steht in diesem Zeichen. Er weiß es nur noch nicht.

Der Frühgeschichte der unitarischen Bewegungen begegnet der exilierte Thomas Mann, überraschend und unverhofft, schon 1936. Während der Arbeit an *Joseph in Ägypten* liest er Stefan Zweigs Erzählung *Castellio gegen Calvin. Ein Gewissen gegen die Gewalt*. Darin erzählt Zweig vom Martyrium des ‚ersten Unitariers‘ Michel Servet (oder Servetus), der in Genf Calvin entgegentrat und für sein Bekenntnis öffentlich verbrannt wurde. Zweig stellt das historische Geschehen in den Horizont der europäischen Gegenwart und ihrer totalitären Umbrüche; nicht um die heroischen Anfänge des Unitarismus geht es ihm, sondern um die gegenwärtigen Bedrohungen der Freiheit. „So eifrig und ganz in Banden geschlagen von der Materie" habe er „lange kein Buch mehr gelesen", schreibt Thomas Mann an Zweig; mit Servet habe er „eine neue Freundschaft, zurück in der Zeit, geschlossen".

So war es zu Beginn des amerikanischen Exils beinahe nur noch eine Frage der Zeit, wann die innere Nähe solcher Überzeugungen zum zeitgenössischen amerikanischen Unitarismus auch eine äußerlich sichtbare Gestalt gewinnen würde. Diese Zeit war im Jahr 1940 mit der abenteuerlichen Flucht Heinrich und Golo

Manns aus Europa gekommen. Denn diese Flucht gelang nur dank des 1940 zur Rettung europäischer Nazi-Verfolgter gegründeten *Unitarian Service Committee*. Für Thomas Manns Hinwendung zur *Unitarian Church* war das eine vielleicht notwendige, gewiss aber keine ausschlaggebende Erfahrung. Für einen solchen sehr persönlichen Entschluss bedurfte es tieferer Kontakte. „Ich fühle mich", schreibt Thomas Mann rückblickend 1954, „der Unitarian Church auf mancherlei Weise verbunden, auf persönliche und allgemein geistige. Durch sie haben alle meine vier Enkel, Männlein und Weiblein, die Taufe empfangen". Wo immer er auf sein Verhältnis zur unitarischen Kirche zu sprechen kommt, erwähnt er diesen Umstand.

Über die Taufe Fridos und Angelicas hat er 1942 im Tagebuch notiert, sie sei „von einem verständigen Geistlichen in sympathisch-anspruchsloser Art vollzogen" worden. In der *Entstehung des Doktor Faustus* 1949 nimmt er das, bezogen nun auf die zweite Doppel-Taufe Tonis und Dominicas, wieder auf – allerdings mit charakteristischen Änderungen. Die Kinder seien, schreibt er nun, „in der Unitarian Church mit einem Minimum an religiöser Prätension, in den verständig-menschlichsten Formen zu Christen geweiht" worden. Nicht mehr der Geistliche, sondern die rituellen Formen sind nun „verständig", und zwar indem sie „menschlich" sind; nicht bloß im Anspruchslosen liegt das Sympathische, sondern in der Reduktion der „religiösen Prätension"; und nicht einfach getauft werden die Kinder, sondern „zu Christen geweiht". Vom heilsnotwendigen Sakrament wird die Taufe zur ‚verständigen' Initiation in ein christliches, menschliches Leben. Der kirchlich-religiöse Akt geht im menschlich-verständigen auf. Gerade darum offenbar ist für Thomas Mann diese Zeremonie „die angenehmste kirchliche Erfahrung, die ich gemacht habe."

Was solche Wendungen zusammenfassen, das lässt sich genauer verstehen, wenn man weiß, wer jener „verständige Geistliche" war. Denn er war nicht irgendwer. Ernest Caldecott, Pfarrer an der *First Unitarian Church* in Los Angeles, hatte 1933 neben Intellektuellen wie dem Philosophen John Dewey zu den dreiundvierzig Unterzeichnern einer aufsehenerregenden Schrift gehört, die unter dem Titel *A Humanist Manifesto* einen politischen Humanismus ausdrücklich als neue Form der Religion proklamierte.

Zwischen Thomas Mann und diesem radikalen Pastor hat sich offenbar ein gutes Verhältnis entwickelt – wie ein ungedruckter Brief Caldecotts zu Thomas Manns siebzigstem Geburtstag 1945 zeigt.

> My dear Dr Mann: Word has come to me that you have just passed your seventieth birthday. I could hardly believe it because on the several occasions when I had the opportunity of meeting you, it would seem to me you were scarcely sixty […] I should like to express the hope that you will live as long as you desire to do so, but not a day longer. […]
>
> Cordially yours,
> Ernest Caldecott.

Dass seine vier Enkelkinder durch diesen Pastor getauft wurden, entsprang zwei-fellos allein Thomas Manns Wunsch. Wie aus einem unveröffentlichten Brief vom April 1942 hervorgeht, wusste selbst Elisabeth Mann noch unmittelbar vor der Feier nicht, in welche Konfession hinein ihre Kinder überhaupt getauft werden sollten. Ihrem späteren Bericht zufolge habe man dem Pastor erst unmittelbar vor der Feier mitteilen können: „wir sind nämlich die Eltern von den Kindern. Der Pfarrer wäre fast in Ohnmacht gefallen." Kein Zweifel, diese Zeremonie war ganz die Sache Thomas Manns, und für ihn war sie eine Herzensangelegenheit.

Auch wenn Thomas Mann mit seinem Drängen auf diesen Akt faktisch eine Häresie vollzog – denn weder die Unitarische Kirche noch ihre nicht-sakra-mentalen Zeremonien wurden von den protestantischen Kirchen der USA als christlich anerkannt –, so beharrte er doch jetzt und lebenslang auf der christlichen Abkunft und Prägung der Unitarier: „zu Christen geweiht" habe Caldecott die Kinder, schreibt er. An der Wegscheide zwischen christlicher und nicht-theis-tischer Ausrichtung, an der die unitarische Bewegung in Amerika in diesen Jahren steht, vertritt Thomas Mann unmissverständlich die christliche Richtung.

So beleuchtet er denn in seiner großen Rede über den *Joseph*-Roman, gehalten in der *Library of Congress* 1942, auch dieses literarisch-religiöse Hauptwerk seines Lebens aus der neu gewonnenen Perspektive und übersetzt den Begriff des Religi-ösen in, wie er schreibt, „Aufmerksamkeit und Gehorsam; Aufmerksamkeit auf innere Veränderungen der Welt, auf den Wechsel im Bilde der Wahrheit und des Rechten [...] In Sünde leben heißt gegen den Geist leben, aus Unaufmerksamkeit und Ungehorsam am Veralteten, Rückständigen festhalten und fortfahren, darin zu leben."

Diese Passagen sind auch deshalb zitierenswert, weil Thomas Mann eine zweckmäßig gekürzte Fassung an weniger auffallender Stelle bald noch einmal veröffentlichte: in einer, wie er selber schreibt, „Christmas Message" für das Ge-meindeblatt von Pastor Caldecott. Für dessen unitarische Gemeinde fasst er zu-sammen, „what I, personally, mean by religiousness"; und nun – und erst hier – sagt er es ernstlich *in statu confessionis*.

Dies war die Konstellation, in der Thomas Mann 1948 jenem zweiten unitari-schen Geistlichen begegnete, der Caldecotts Position übernehmen sollte, der ne-ben liberalen Theologen wie John Luther Adams zu den führenden Köpfen des modernen amerikanischen Unitarismus gehörte und dem Thomas Manns Verbin-dung mit dieser Kirche in den letzten Lebensjahren eine nochmalige, entscheiden-de Vertiefung verdankte.

Stephen H. Fritchman, Jahrgang 1902, war zunächst Methodistenpfarrer gewe-sen, dann aber zu einer unitarischen Gemeinde übergetreten. Von intellektueller Schärfe und unermüdlich engagiert in politischen Fragen und in der Jugendarbeit seiner Kirche, war er 1942 zum Chefredakteur der wichtigsten unitarischen Zeit-schrift geworden. 1947 hatte er diesen einflussreichen Posten nach aufsehenerre-genden, sich über anderthalb Jahre hinziehenden Kontroversen aufgeben müssen, zugleich mit der Leitung der *Unitarian Youth Commission*: Seiner offen sozialistischen

Neigungen wegen war er im Zuge der McCarthy-Verfolgungen als „Kommunist"
denunziert worden; als „the Fritchman Crisis" erregte der Fall nationales Aufse-
hen. Infolge dieses Skandals wurde Fritchman zum populären Pfarrer der Gemeinde in Los Angeles, wo er in Predigten, Büchern und seinen erfolgreichen Ra-
diosendungen leidenschaftlich für die Gleichberechtigung der Afroamerikaner und
gegen die Bürgerrechtsverletzungen der antikommunistischen Hysterie eintrat, für
soziale und politische Freiheitsrechte.

Schon 1938, im Jahr von Thomas Manns Übersiedlung nach Amerika, hatte
sein Name ganz oben auf der Rednerliste einer Demonstration in Boston gestan-
den, unter dem Motto *A Call to the People of Boston: Protest Nazi Terror Against Jews
and Catholics*. Zu den Zielen seiner Arbeit als Pastor in Los Angeles wird dann auch
die Verständigung zwischen Protestanten, Katholiken und Juden, zwischen Theis-
ten und Atheisten gehören – weil doch „communication with any person" zur
„practice of our own religion" gehöre. Immer wieder schreibt und redet Fritchman
so: ein Verteidiger der Vielstimmigkeit und des Eigensinns, der Solidargemein-
schaft freier Individuen. Und stets beharrt er darauf, dass sich in diesen Maximen
das wirkliche Wesen der Religion entfalte.

In diesem entscheidenden Augenblick, wenige Monate nach der „Fritchman
Crisis", begegnet ihm Thomas Mann. In ihm gewinnt der Angefochtene sehr rasch
einen Förderer und, im Laufe einer sechsjährigen Beziehung, tatsächlich einen
Freund. Thomas Mann lernt Fritchman vor allem schätzen als einen Mitkämpfer
gegen das, was ihm als drohende Wiederkehr des Faschismus in amerikanischer
Variante erscheint. Bereits vier Monate nach der ersten Begegnung am 18. Juni
1948 entwirft er, mit Erikas Hilfe, zum ersten Mal einen eigenen Text zu Fritchmans Unterstützung.

Unmittelbaren Anlass gibt eine Predigt, die Fritchman ihm offenbar nach vor-
heriger Absprache schickt. Ihr Thema, so hält Thomas Mann am 29. Oktober 1948
im Tagebuch fest, ist der Protest „gegen die zunehmenden Verfassungsverletzun-
gen. (Einsperrung auf unbestimmte Zeit von Zeugen, die politische Auskünfte
über ihre Freunde verweigern.)" Genauer gesagt: Es geht um die *Hollywood Ten*,
eine Gruppe von Mitarbeitern der Filmindustrie, die, vom Kongress-*Committee on
Un-American Activities* kommunistischer Umtriebe verdächtigt, jede Aussage verwei-
gert hatten und daraufhin zu Gefängnisstrafen verurteilt worden waren. Bereits am
selben Abend sind Fritchman und seine Frau in Pacific Palisades eingeladen, um
das gemeinsame Vorgehen zu besprechen. „Nach Tische Rev. Fritschman mit
Frau", notiert Thomas Mann im Tagebuch. „Nachher mit Erika den Brief für ihn
als Ergänzung seiner Predigt gegen den fortwährenden Abbau der Constitution
und der amerik[anischen] Freiheit besprochen."

Als „Ergänzung seiner Predigt" hat Thomas Mann diesen Text verfasst; so
wurde er von Fritchman von der Kanzel verlesen, und so ist er dann auch von der
First Unitarian Church of Los Angeles veröffentlicht worden – in einer singulären Co-
Autorschaft beider Männer. So bescheiden das Ergebnis als selbstgedrucktes Flug-
blatt aussieht, so einschneidend waren seine Folgen für Thomas Mann. Denn diese

Zusammenarbeit, so schreibt Hans Rudolf Vaget, „stellt das konkreteste und sichtbarste Zeugnis seiner Auseinandersetzung mit der politischen Repression der Nachkriegsjahre dar und [...] gleichzeitig [...] eine Art Einübung in die Wahrnehmung seiner amerikanischen Bürgerrechte".

Aktionen wie dieser gemeinsame Auftritt von Fritchman und Thomas Mann blieben denn auch für beide nicht ohne Folgen. Am 4. April 1949 erscheint im *Life Magazine* wohl auf Betreiben des FBI-Chefs J. Edgar Hoover ein groß aufgemachter Artikel, der fünfzig vermeintliche Förderer und Propagandisten der Kommunistischen Partei porträtiert, und zwar buchstäblich: Fünfzig nur mit den jeweiligen Namen und Berufsbezeichnungen unterzeichnete Fotos stehen da wie auf einem riesenhaften Steckbrief, unter der Überschrift: *Dupes and Fellow Travellers Dress Up Communist Fronts*. Gemeint sind damit Trittbrettfahrer und „nützliche Idioten", „Moscow-directed". Ihre Liste liest sich wie ein *Who Is Who* des liberalen Amerika. Auf ihr finden sich, neben Norman Mailer und Albert Einstein, Leonard Bernstein, Charlie Chaplin und Arthur Miller auch „Thomas Mann, novelist" und „Stephen H. Fritchman, Unitarian clergyman". Aber – „to be a ‚dupe' with them", so kommentiert Fritchman später rückblickend, „is the greatest honor I have yet had in my forty-six years".

Wie sehr durch all dies auch die persönliche Verbindung gestärkt wurde, das zeigt sich elf Monate später durch ein wiederum persönliches, ja intimes Ereignis. Am 11. März 1950 stirbt Heinrich Mann. Und wie selbstverständlich ist es nun sein unitarischer Freund, in dessen Hände Thomas Mann die Trauerfeier legen will.

Im Kampf um die Verteidigung der Bürgerrechte und gegen die Bedrohungen der McCarthy-Ära bleiben Fritchman und Thomas Mann Verbündete. Am 1. Dezember 1950 spricht Erika Mann auf Einladung Fritchmans „in der tapferen Unitarian Church" in Los Angeles über die Gefahren des Kalten Krieges. Thomas und Katia Mann begleiten sie: „Vortrag in der Unitarian Church. Großer Zudrang. [...] Es ist ein Geschehnis, daß jemand vor 1000 Menschen aus tiefer Überzeugung erklärt: ‚We are on the wrong road.'" Als sieben Wochen später, im Januar 1951, Fritchman wieder in Pacific Palisades zu Gast ist, kommentiert Thomas Mann das tags darauf im Tagebuch: „Fritschman gestern: bestes Amerikanertum."

Dieses Jahr 1951 markiert den Höhepunkt der Allianz zwischen Thomas Mann und dem unitarischen Pfarrer. Im September wird Fritchman vor den Ausschuss für unamerikanische Umtriebe geladen. Thomas Mann selbst bleibt zwar das Verhör am Ende doch erspart, aber er wird von einem Kongressabgeordneten unwidersprochen als „one of the world's most noted communists" denunziert. Auf dem Höhepunkt der öffentlichen Anfeindungen, im Juni 1951, erreicht ihn ein Brief von Fritchman, der im Tagebuch dankbar und mit einer vertraulichen Koseform vermerkt wird: „Guter Brief von Fritsch anläßlich der persecutions." Fritchman hat am 20. Juni geschrieben:

Just a word of understanding and strong support as you receive this crimi-
nally irresponsible criticism in the newspapers [...] Your dignity and impressive achievements make their efforts fruitless to destroy either your charac-
ter or your work, but it seems more than flesh and blood should have to
bear [...] Your loyalty to your friends and your public, whatever their politics, is continuing inspiration to all of us.

„it seems more than flesh and blood should have to bear": Die biblische Formulierung rückt den zweifach verfolgten Thomas Mann in die Nähe der Apostel. Nicht
zufällig klingt da der Epheserbrief des Paulus an mit dem Satz „wir haben nicht
mit Fleisch und Blut zu kämpfen, sondern mit Fürsten und Gewaltigen". Wirklich,
ein guter Brief von Fritsch anlässlich der *persecutions*.

Thomas Manns Antwortbrief ist in meinem Buch erstmals publiziert. Abgesehen von der gemeinsamen Sache fällt darin der Ton auf, in dem Thomas Mann
zugleich die persönliche Verbundenheit mit Fritchman betont und diejenige mit
seiner Kirche. Nicht nur für „your kind letter" also bedankt er sich, sondern höfli-
cherweise auch noch für den beigefügten Jahresbericht der Kirche, „which, like
everything coming from your sphere, I have read with interest. Your words gave
me much comfort. Men like you are needed in this country today in greater num-
bers than they apparently are to be found." Nach einigen Bemerkungen zur politischen Lage schließt er dann mit einer weit über das konventionell Gebotene hin-
ausgehenden Herzlichkeit: „With repeated thanks, kindest greetings and my best
wishes for your work, I am / Very sincerely yours / [Thomas Mann]". So geht es
weiter. Am zweiten Weihnachtstag 1951 notiert Thomas Mann im Tagebuch: „K.
und ich ergriffen von einer erstaunlich mutigen Rede, die Rev. Fritschman beim
Bankett einer Rechtsanwaltsorganisation gehalten. Vorzüglicher Mann."

In seinen Erinnerungen, die er 1977 unter dem bezeichnenden Titel *Heretic*
veröffentlichte, hat Fritchman selbst ausführlich von dieser Freundschaft erzählt.
Darin erinnert er sich an den Thomas Mann dieser Jahre, an Lion und Martha
Feuchtwanger – und zwar als „members" seiner Unitarischen Kirche in Los Angeles. In welchem Grade Thomas Mann sich um diese Zeit tatsächlich mit dem Unitarismus im Allgemeinen und mit der kalifornischen Gemeinde im Besonderen
identifizierte, zeigen schlaglichtartig zwei bislang unbekannte Briefe aus dem Jahr
1950. Der erste ist die Antwort auf die Anfrage eines Lesers, den es offenbar nach
religiösem Rat verlangt. Gerade in ihrer Beiläufigkeit ist Thomas Manns Antwort
aufschlussreich: „With regard to what you call ‚God's work', I would recommend
to you to get in touch with [...] Dr. Stephen Fritchman. [...] I personally know this
distinguished pastor and his open and human way of thinking".

Größeres Gewicht hat ein Brief, den Thomas Mann im Dezember 1950 an
Frederic G. Melcher schreibt, den führenden Publizisten der Unitarischen Kirche
in den USA in dieser Zeit. Thomas Mann schlägt ihm vor, Fritchman in den
Vorstand des Dachverbandes *American Unitarian Association* aufzunehmen, „adding
my voice to the many friends of the First Unitarian Church of Los Angeles, who

desire to see their church represented". Zur Beglaubigung seiner Bitte verweist er auf seine langen persönlichen Beziehungen zur Unitarischen Kirche und bekennt: „My interest in and warm sympathy for Unitarianism are of long standing. [...] Moreover, the First Unitarian Church of Los Angeles is particularly close to my heart and mind."

Unter diesen Umständen ist es nicht verwunderlich, dass Thomas Mann schließlich im März 1951 auch persönlich Fritchmans Kanzel in der *First Unitarian Church* betreten hat. Diese Rede stellt seine ausführlichste explizite Äußerung zum Unitarismus dar. Sie verdient deshalb einen genaueren Blick. Thomas Manns Tagebuch zufolge ist hier am Sonntag, dem 4. März 1951, „Der Saal gefüllt [...] Sympathischer Chor mit Solo und Orgel, polyglott, russisch, chinesisch. [...] Lieferte meine Ansprache gut. Es wollte beinahe Applaus geben."

Das ist begreiflich. Denn zwar beginnt die Ansprache mit einer Versicherung, die wie eine rhetorische *captatio* klingt. Doch schon die folgenden Sätze lassen keinen Zweifel daran, wie ernst es dem Redner mit Ort und Anlass ist. Rasch geht die Erinnerung an die zugleich geistige und persönliche Beziehung über in Sätze von erstaunlich bekenntnishafter Vehemenz:

> By no means is it a matter of mere politeness or conventional courtesy, when I state that I am happy to be with you today. For many years past, Unitarianism has been close to my heart, and I have, more particularly, been rather intimately connected with the First Unitarian Church of Los Angeles. Last March, its Minister, the Reverend Stephen H. Fritchman, most movingly conducted the funeral rites for my dear brother Heinrich. My four grandchildren, native Americans all, were received into the Unitarian Church by baptism. And rarely, if ever, have I taken so lively and militant an interest in the activities of any religious group as I keep taking in the Unitarians' manifold efforts and doings. Why should this be so? I am a Lutheran, and owe a great deal to the German Protestant tradition into which I was born, as it were, and which contributed substantially to my spiritual and cultural make-up. Even so, and for my own person, I always inclined to see in religion something rather broader, more generally moral and ethical than that which could, as a rule, be expected to manifest itself within the confines of any one dogma.

Ebenso auffällig wie die Behauptung, der Unitarismus nehme für ihn eine Sonderstellung ein, ist hier die Wendung „I always inclined". Nicht als eine weitere Konfession erscheint der Unitarismus hier, sondern als Anerkenntnis einer humanüberkonfessionellen „Einheit des Menschengeistes" – die eben als solche zur Voraussetzung eines vorbildlichen moralischen Handelns wird. Thomas Mann fährt fort:

Today, more urgently, perhaps, than ever before, what is needed is applied religion, applied Christianity – or, if you prefer, a new, religiously-tainted humanism, aggressively bent on bettering man's status and condition on earth, while at the same time honoring, and bowing in reverence to, the secret which lies at the bottom of all human existence and which must and will never be lifted for it is holy.

If Unitarianism as such fairly approximates this sort of rejuvenated, religiously tainted humanism, the „Unitarian Service Committee" would seem most peculiarly and most directly to obey what might be called „the order of the day".

Und ebendies war ja auch der Titel seiner 1942 in Amerika erschienenen Sammlung politisch-moralischer Essays gewesen: *The Order of the Day*. – Wenn Thomas Mann in dieser Rede das tiefste religiöse Mysterium umschreibt (in einer Wendung, die an die Sprache Paul Tillichs erinnert), dann lässt er in der Schwebe, wie weit es theologisch und wie weit es anthropologisch zu verstehen sei: „[it] must and will never be lifted, – for it is holy." Und doch: Die durch Gedankenstrich markierte Pause betont im Typoskript noch nachdrücklicher als im Druck das genuin religiöse Bekenntnis, das mit dem humanistischen nicht zusammenfällt, sondern ihm vorausgeht. Wer aus diesem Geist handelt, der erfüllt ‚die Forderung des Tages. Denn, so erläutert Thomas Mann nun: „the term ‚Unitarianism' – widely unknown until then – became tantamount to the terms of ‚help', ‚escape', ‚safety'. Soon, and in many additional parts of the world, including, of course, the United States, it also came to mean ‚readjustment', ‚restoration', ‚medical assistance', ‚child care', ‚housing', or, in short, applied Christianity."

In diesem Geiste bezieht sich Thomas Mann denn auch ausdrücklich auf eine Schrift Fritchmans und mit ihm auf Theodore Parker, den Propheten des angewandten Christentums. Folgerichtig stellen sich dann, in den letzten Sätzen der Rede, zugleich der amerikanische Duktus und die biblischen Anklänge wieder ein:

My friends, I know full well that it is far later than some of us might think, and that the efforts of any one small group among us, however brave and admirable, are not in actual fact likely to prove capable of stemming a tide the devilishness and deadliness of which we are not foolish enough to underestimate. Nevertheless, and although it is virtually against hope that we keep hoping, the good fight put up by America's Unitarians and their „Service Committee" constitutes one of the most encouraging, strengthening and nerving demonstrations staged against the powers of darkness, at this, our time, in this, our country.

Die Hoffnung wider alle Hoffnung, der gute Kampf gegen die teuflischen und tödlichen Mächte der Finsternis, das politische Engagement als angewandtes Christentum: das ist die demokratische Rhetorik, die der amerikanische Exilant unermüdlich betrieben und die er zuweilen selbstironisch kommentiert hat. Und es ist, als praktiziertes unitarisches Christentum, auch bemerkenswert bibelfest. Mit Paulus proklamiert er die „Hoffnung, da nichts zu hoffen war"; wie der Apostel den Timotheus, ermahnt er seine Zuhörer: „Kämpfe den guten Kampf des Glaubens" und erinnert sie an die teuflische Macht der Gegner: „Denn wir haben nicht mit Fleisch und Blut zu kämpfen, sondern mit [...] den Herren dieser Welt, die in der Finsternis dieser Welt herrschen".

Damit sind wir im Zentrum unserer Überlegungen angekommen. Denn so naheliegend es scheinen mag, Thomas Manns Anteilnahme am Unitarismus zu reduzieren auf persönliche Sympathien und Erlebnisse, so verfehlt wäre diese Deutung. Wer sich mit ihr begnügte, brächte sich um eine wesentliche Einsicht in die nicht nur politischen, sondern auch religiösen Denkfiguren des Exilanten Thomas Mann, oder vielmehr: in ihre unauflösliche Verbindung. Es ist gerade die Praxis, die für ihn im Angesicht von „the Unitarians' manifold efforts and doings" als solche religiöse Dignität gewinnt; der Ausdruck „applied Christianity" ist nun ein Pleonasmus.

Und über all dies spricht Thomas Mann ganz aus eigenem Antrieb. Denn wie sich der Annonce entnehmen lässt, die auf der Kirchenseite der *Los Angeles Times* vom Samstag, dem 3. März 1951, für den folgenden Sonntag die Veranstaltung in der *First Unitarian Church* ankündigt, war das ihm vorgegebene Thema sehr viel enger; es lautete: *The Unfinished Task. The Work of the Unitarian Service Committee.* – Fritchman selbst hat Thomas Manns Kanzelrede später, in seinen Lebenserinnerungen, als die wichtigste der von ihm initiierten „pulpit editorials" gewürdigt – und das nicht nur wegen ihrer unmittelbaren Wirkung auf mehr als achthundert Zuhörer: „The most impressive pulpit editorial of my Los Angeles ministry was given in March of 1951, when Thomas Mann spoke to a filled auditorium of well over eight hundred, on behalf of the Unitarian Service Committee. [...] It still gives me joy just to recall some of those words ..."

Die eindrucksvollste Kanzelrede einer immerhin zweiundzwanzigjährigen Dienstzeit – Fritchmans emphatisches Urteil erklärt sich keineswegs, wie man denken könnte, aus der bloßen Prominenz dieses Redners; da wären ebenso gut der Nobelpreisträger Linus Pauling oder Feuchtwanger in Betracht gekommen. Die einzigartige Bedeutung, die Fritchman der Rede Thomas Manns zuschreibt, ergibt sich aus einem anderen Grund: „Dr Mann's brief editorial helped to define the concept of religion we were attempting to circulate in those days". Mitten im Kalten Krieg, heißt das, trug Thomas Mann nun seinerseits dazu bei, die Religionsauffassung der kalifornischen Unitarier neu zu akzentuieren.

Thomas Manns „militantes und lebhaftes Interesse" am amerikanischen Unitarismus hat die Kämpfe des Exils und die Rückkehr nach Europa ebenso überdauert wie das Interesse der Unitarier an ihm. „It was a day of sorrow for Frances and me", erinnert sich Fritchman, „when Dr Mann [...] returned to Europe [...] We would miss those visits to the house in Pacific Palisades." Aber auch wenn mit dieser Rückkehr nach Europa die Besuche endeten – der Kontakt riss doch keineswegs ab. Noch im Dezember 1954 notiert Thomas Mann im Tagebuch, zwischen Notizen über die Weltlage: „Schrieb message an Fritchman, Unitarian Church. Geben Geld."

Diese letzte „message", geschrieben in Kilchberg acht Monate vor seinem Tod, ist Thomas Manns letztes Wort an Fritchmann. Noch einmal erinnert er an die familiären Beziehungen zur Unitarischen Kirche und fährt dann, nicht ohne Feierlichkeit vom privaten Brief zur „message" übergehend, fort:

> Doch dies beiseite. Der Geist Ihrer Kirche, der Christliche Humanismus, den sie vertritt, und der in Ihrer Person einen so ergebenen und mutigen Verkünder hat, – dieser Geist ist es, der mich anzieht, seit ich ihn kennen lernte, und den ich in wahrer Sympathie bewundere. / Es ist heute viel von der Notwendigkeit die Rede, Freiheit und Menschenwürde zu verteidigen gegen totalitäre Tyrannei und eine[n] der westlichen Civilisation fremden konformistischen Gesinnungszwang. [...] Gewiss ist, dass die Unitarian Church jene westlichen und christlichen Ideale in ihrer Reinheit vertritt und zwar unter Opfern.

Reinheit und Opfer: es sind Begriffe der Martyriologie, die nun auf die Taten und Leiden der politisch gefährdeten Unitarischen Kirche bezogen werden: Märtyrer eines sehr amerikanischen Idealismus werden zu Opfern einer sehr amerikanischen Verfolgung. – Der Brief schließt dann mit einer Solidaritätserklärung, der es an Deutlichkeit nicht mangelt. Thomas Mann schreibt:

> Für diese Opfer muss und wird aufgekommen werden. Alle diejenigen, für welche Ihre Kirche eine Quelle geistiger Inspiration ist, werden sich vereinigen, dafür aufzukommen. Ich selbst will aus der Ferne und nach den Kräften eines Schriftstellers, der nicht für die Massen schreibt, dazu mithelfen. Und ich bitte Sie, lieber Minister Fritchman, Ihrer Gemeinde zum Weihnachtsfest und zum Neuen Jahr meine herzlichen Wünsche zu übermitteln. Es sind Wünsche des Friedens, und sie gelten einer im Fortschritt zum Guten vereinigten Menschheit.
>
> Ihr Freund Thomas Mann.

Kein Dokument aber macht die geistige Verbundenheit beider Männer so augenfällig wie eine Porträtfotografie, die sich heute im Privatbesitz befindet und jetzt auf dem Umschlag meines Buches abgebildet ist, und keines fasst so knapp zusammen, worum es in dieser Form des Unitarismus ging. Thomas Mann hat sie Fritchman im März 1951 geschickt, mit der Widmung: „To Stephen H. Fritchman,/ defender of American evangelic freedom / Thomas Mann". Wohlgemerkt, nicht ‚protestant' ist diese Freiheit, sondern „evangelic" – dem Evangelium gemäß, konkretisiert als demokratische und in diesem Sinne auch „American freedom". Es ist die kürzeste Zusammenfassung von Thomas Manns amerikanischer Religion.

Diese „wahre Sympathie" wurde über den Tod hinaus erwidert. Noch lange blieb Thomas Mann für Fritchman und die Seinen ein Eideshelfer, der in Fritchmans Schriften bei Bedarf auch als Lehrer zitiert werden kann. Als Thomas Mann 1955 starb, hielt Fritchman vor seiner Kirchengemeinde eine rührend persönliche Trauerrede. Auch sie ist in meinem Buch erstmals publiziert. In diesem bemerkenswerten Porträt erinnert Fritchman an eine Freundschaft, die hinausgegangen sei über die literarische Bewunderung und den gemeinsamen politischen Kampf gegen die Kräfte der Rechten, „who betrayed the spirit". An die Adresse der Spötter, die Thomas Mann als den Wanderprediger der Demokratie ausspielen wollten gegen den gleichnamigen Dichter, rühmt Fritchman seine selbstlose Tapferkeit gegen erniedrigende Angriffe, „magnificent courage". Gegen die Karikaturen amerikanischer Zeitschriften, die ihn als Heiligen Georg der Linken zeigten, preist er den Mut, der ihn gegen eine gänzlich un-agitatorische Natur wahrhaftig in die Nachfolge der Heiligen und Propheten gestellt habe: ein Heiliger der Vernunft, ein Prophet der Menschlichkeit: „Dr Mann was dedicated with the dedication of a Saint to the task of holding unreason in check. [...] Like an Old Testament prophet, an Ezekiel or a Jeremiah, he delivered himself at times of a magnificent, though to some people absurd confidence in the resources of mankind." So sagt es Fritchman auf der Kanzel, auf der seine Gemeinde ja auch Thomas Mann selbst habe hören können: „Some of you, I am sure, heard him [...] in pulpits including this one". Und dann ist die Rede von kontinuierlichen und diskreten finanziellen Hilfen, die auch der Thomas-Mann-Forschung bis heute unbekannt geblieben sind:

> And we remember his devotion to this church ... his presence here at several occasions, his generous moral, financial support of our work, especially the radio program, and even from Zurich, his gifts to our tax fund, to resist the encroachment of the state upon the freedom of the church. He gave us all strength and courage, joy and pride in our limited personal human resources.

Und auf diese Arbeit bezogen, fügt er dann hinzu: „His work will survive for years to come." Das sollte in den Diskussionen über Thomas Mann und die Religion künftig nicht mehr überhört werden.

*

Dieses Engagement hatte seinen Preis. Verglichen mit den religiösen Positionen, die Thomas Mann in unvergleichlicher Subtilität des Gedankens und der künstlerischen Gestaltung verhandelt hatte, von den frühen kunstreligiösen Essays bis ins biblische Erzählwerk des *Joseph* und der Novelle vom *Gesetz*, zum *Faustus* und endlich dem *Erwählten* – verglichen mit alldem erscheinen die Gedanken und Argumentationsmuster, die Thomas Mann mit seiner Hinwendung zu den Unitariern so emphatisch aufnimmt und weiterentwickelt, von – vorsichtig gesagt – geringerer intellektueller Komplexität. Sie kann oberflächlich, wenn nicht banal erscheinen.

Denn es ist ja wirklich so: Der Schriftsteller, der die *Betrachtungen eines Unpolitischen* geschrieben, der im *Zauberberg* mit Nietzsche dionysische Abgründe aufgedeckt und im *Joseph* den Kampf zwischen Mutterrecht und Vaterordnung ausgefochten hatte, der im *Doktor Faustus* die geistige Geschichte Deutschlands als Geschichte seiner Musik und seines Teufelspaktes erzählt hatte und der sich endlich im *Erwählten* der katholischen Heiligenlegende zuwandte – dieser Schriftsteller war alles andere als ein geborener amerikanischer Unitarier. Es sei denn, man verstünde diese Wendung als eine Konsequenz auch dieser Auseinandersetzungen: als Ausdruck eines Willens zur klärenden Vereinfachung, zum Pragmatismus des hier und jetzt Notwendigen, des *Order of the Day*. In seinem Vortrag *The War and the Future* hat Thomas Mann die Vorwürfe selbst angesprochen:

> Mir ist es vorgekommen, daß, wenn ich irgendwo in den amerikanischen Staaten über Demokratie gesprochen und mich zu ihr bekannt hatte, ein high-brow Journalist [...] schrieb, ich hätte „Mittelstandsideen" geäußert. Was aus ihm sprach, war ein falscher und rückständiger Begriff des Banalen und des geistig Interessanten [...] „Aber lieber Freund", hieß es, „[...] Das ist von der letzten Banalität, – d'une trivialité insupportable!" Was der high-brow Journalist mit diesem Wort bezeichnet, ist ja freilich nichts anderes als die liberale Tradition. Es ist der Ideen-Komplex von Freiheit und Fortschritt, humanitarianism, Zivilisation, kurz, der Anspruch der menschlichen Vernunft [...] Es ist ein entsetzlicher Anblick, wenn der Irrationalismus populär wird.

Gesprochen wurden diese Worte im Jahr 1943, im amerikanischen Exil und an einem zentralen Ort der amerikanischen Kultur: in der *Library of Congress* in Washington, D. C. Und ihnen ist hier eigentlich nichts hinzuzufügen.

Mein Großvater, die *Unitarian Church* und ich: Persönliche Anmerkungen

Frido Mann

Ende Juli 2010 bekam ich von Heinrich Detering ein Vortragsmanuskript zugeschickt. Es war überschrieben *Thomas Mann und die Unitarier* und sollte während der Davoser Literaturtage im August vorgestellt werden. Der Vortrag begann mit Deterings Hinweis, dass er dieses bisher unbemerkt gebliebene Thema der Thomas-Mann-Forschung „abseits der großen Scheinwerferkegel" habe aufgreifen wollen. Immerhin war ja – aber das hatte bislang niemand so recht beachtet – schon in der *Entstehung des Doktor Faustus* unmissverständlich nachzulesen, wie Thomas Mann den amerikanischen Unitariern dankte für „die angenehmste kirchliche Erfahrung, die ich gemacht habe"; und auch sein Brief an einen unitarischen Pastor wenige Monate vor seinem Tod lag längst gedruckt vor: „Der Geist Ihrer Kirche [...] – dieser Geist ist es, der mich anzieht, seit ich ihn kennen lernte".

Heinrich Detering hatte fünf Jahre zuvor bei der Lübecker Tagung zu Thomas Manns fünfzigstem Todestag meinen Vortrag *Thomas Mann und die Frage der Religion* gehört. Dort hatte ich insbesondere auf Thomas Manns Verhältnis zur Unitarischen Kirche in Los Angeles während seines kalifornischen Exils aufmerksam gemacht und überraschenderweise nur sehr zurückhaltende Resonanz gefunden. Meine noch sehr thesenhaften Hinweise hatten sich wesentlich der Lektüre eines Aufsatzes des katholischen Theologen Hans Küng verdankt: *Thomas Mann und die Frage der Religion* (erschienen in dem mit Walter Jens herausgegebenen Band *Anwälte der Humanität*). Dort wurde nicht nur betont, dass das Religiöse in Thomas Manns Werk seit den *Joseph*-Romanen immer breiteren Raum einnahm, sondern es wurde auch dessen Beziehung zum amerikanischen Unitarismus erwähnt, einschließlich der unitarischen Taufe aller vier Enkel auf Veranlassung Thomas Manns. Dessen Hinwendung zur Unitarischen Kirche kurz vor der *Entstehung des Doktor Faustus* mit seinen im Vergleich zur *Joseph*-Tetralogie deutlich elementareren, religiösen Untertönen interpretierte ich daraufhin in meinem Lübecker Vortrag als eine unter dem Eindruck von kalifornischer Exil-Ferne, Heimatlosigkeit, Schock des Faschismus und des Krieges stehende Suche nach einer geistlichen Heimat im Schutzraum des amerikanischen Exils.

Mein Wunsch, diese neue Sicht anlässlich Thomas Manns rundem Todestag vorzutragen, war nicht primär wissenschaftlichem Interesse, sondern persönlicher Bewegtheit entsprungen: Hier taten sich für mich neue biografische Zusammenhänge auf zwischen Thomas Manns Beziehung zur amerikanischen Kirche und meiner eigenen Taufe. Ich konnte dies alles nun neu als Hintergrund auch für meine persönliche religiöse Entwicklung verstehen, einschließlich meiner Konversion zum Katholizismus und des nachfolgenden Theologiestudiums. Immerhin hatte ich bis wenige Jahre zuvor nie etwas von Thomas Manns Verhältnis zu dieser amerikanischen Kirche gewusst. Hatten doch weder mein Großvater noch irgendwelche anderen Familienmitglieder, ja nicht einmal meine Eltern während meiner ganzen Kindheit und Jugend je mit mir über all dies gesprochen. Religion gehörte in der Mann-Familie offenbar zu den vielen intimen Tabuthemen: darüber sprach man einfach nicht.

Nun aber las ich in Deterings Text von Thomas Manns Hinwendung zur von der amerikanischen Aufklärung geprägten Unitarischen Kirche, seinem Bemühen um eine Verschmelzung der Traditionen seiner europäischen Herkunft mit der amerikanischen Kultur, las neue Dokumente über die enge Beziehung Thomas Manns zur Unitarischen Kirche in Los Angeles von den frühen vierziger Jahren bis Ende 1954, seine unitarische Kanzelrede von 1951 ebenso wie die bisher teilweise unveröffentlichte Korrespondenz zwischen Thomas Mann und zwei unitarischen Pastoren. Zum einen war da Stephen Fritchman, der, ursprünglich Methodistenpfarrer, 1948 in Los Angeles die Leitung der Unitarischen Kirche von Los Angeles übernahm und bald im Zuge der „Kommunisten"-Hysterie McCarthys sich – mit Thomas Manns solidarischer Unterstützung! – gegen seine Denunziation zu wehren hatte und der unermüdlich für Toleranz und für eine Gleichberechtigung aller Rassen eintrat. Fritchman legte immer Wert auf seinen Titel *Reverend*, verstand sich jedoch nur in einem sehr weitläufigen Sinn als Christ und griff dabei auch entschieden ins Politische, Marxistische aus. Entdeckt hatte Detering auch jene ergreifende Trauerrede, die Fritchman zu Thomas Manns Tod 1955 vor seiner Gemeinde gehalten hatte.

Als völlig neue Figur aber wurde in Deterings Recherchen Fritchmans Vorgänger sichtbar: Ernest Caldecott. Und dieser Mann ging mich an. Denn Caldecott taufte, auf Thomas Manns Veranlassung, im Frühjahr 1942 dessen älteste Enkel Angelica – und mich. Diese enge und, vor allem, gegenseitige Beziehung zwischen diesem deutschen Schriftsteller und dieser amerikanischen Kirche warf ein neues

Licht auf Thomas Manns Verständnis von Religion in seinen von religiös humanistischem und politischem Denken bestimmten späten Romanen und Essays.

Angesichts der sehr persönlichen Motive für meinen Lübecker Vortrag hatte ich seinerzeit auf wissenschaftliche Recherchen verzichtet; und ich hatte das Thema auch nach dem Lübecker Auftritt auf sich beruhen lassen. Umso überraschter war ich, als ich knapp drei Jahre später, kurz nach dem Erscheinen meiner (ebenfalls kurz auf den Unitarismus Bezug nehmenden) Autobiografie *Achterbahn*, von der Schweizerischen Thomas-Mann-Gesellschaft Ende Mai 2008 zu einer Tagung mit dem neuartigen, aber vorsichtig im Plural formulierten Thema: „Thomas Mann und die Religionen" eingeladen wurde. In meinem Schlusswort griff ich noch einmal auf meinen Lübecker Vortrag zurück. Rund ein Jahr später folgte die mehrmonatige Vorlesungsreihe „Der ungläubige Thomas" in Zürichs protestantischem Fraumünster, in Kooperation mit dem Großmünster. Und wiederum ein halbes Jahr später dann trug Heinrich Detering bei den Davoser Literaturtagen 2010 (mit dem allgemeinen Thema „Zwischen Himmel und Hölle. Thomas Mann und die Religion", jetzt im Singular!) ebenjene Entdeckungen und Interpretationen vor, deren Manuskript er mir kurz zuvor zugeschickt hatte. Und dies stellte nun meine Überlegungen auf eine neue Grundlage. Sein aufsehenerregender Davoser Vortrag eröffnete neue Dimensionen für die Thomas-Mann-Forschung – und für mich. Er führte uns beide zum erstenmal persönlich zusammen, und ich wurde bei der Konzeption eines Buches über Thomas Manns amerikanische Religion zu seinem Gesprächspartner.

Wir trafen uns seitdem regelmäßig und sprachen über dieses Vorhaben, über Thomas Manns Verhältnis zur Religion, über meine Familie und über meine eigene religiöse Sozialisation. Heinrich Detering berichtete von seinen Funden in europäischen und amerikanischen Archiven, und ich konnte ihm im Gegenzug auto- und familienbiografische Hintergründe zeigen. Im Februar 2011 trug er dann, auf Einladung der Deutschen Forschungsgemeinschaft, in der Münchner Staatsbibliothek eine Kurzfassung seines schon weit fortgeschrittenen Buches vor. Zur Klärung und Schärfung seines Arguments trug bei, dass er sich in der Diskussion mit der Behauptung auseinanderzusetzen hatte, Thomas Manns Verhältnis zum amerikanischen Unitarismus sei doch nicht mehr gewesen als eine kurze Episode im Leben eines eingefleischten Lutheraners, zumal es sich bei jenen Unitariern ohnehin eher um eine politische als eine religiöse Gemeinschaft gehandelt habe. Dass freilich Thomas Manns Verhältnis zu den Unitariern eben als ein humanitäres und politisches für ihn gerade tiefgreifend religiös bestimmt war: das kristallisierte sich fortan in unseren fortgesetzten Diskussionen als die aus meiner Sicht zentrale These des Buches heraus.

Meine Taufe in der *First Unitarian Church* in Los Angeles 1942 hatte ich jahrzehntelang als ganz unabhängig von Thomas Mann betrachtet. Während meiner Kindheit und Jugend hatten weder meine Eltern noch irgendwelche anderen Verwandten je mit mir über die Unitarische Kirche, ja überhaupt nicht über Kirche, Religion oder Bibel gesprochen. Die ersten Anregungen, auf die ich mit umso größerer Neugierde, vielleicht auch mit ein bisschen Nachholbedarf reagierte, kamen erst nach meiner Übersiedlung nach Europa in meinem neunten Lebensjahr, und sie kamen nicht aus meiner Familie, sondern von außerhalb. So verfolgte ich vor allem aufmerksam den regelmäßigen sonntäglichen Kirchgang der streng katholischen Hausangestellten meiner Schweizer Großeltern bei Zürich, bei denen ich ja ein Jahr lang wohnte und zur Schule ging. Auch fragte ich diese Hausangestellte während unserer häufigen Gespräche in der Küche immer wieder nach religiösen Dingen aus. Mindestens einmal begleitete ich sie zur Sonntagsmesse in ihrer von zuhause zu Fuß ziemlich weit entfernten römisch-katholischen Kirche und kam von diesen Gottesdienstbesuchen beeindruckt zurück.

Auch in Österreich, wo ich danach mit meinen Eltern für zweieinhalb Jahre wohnte, bekam ich viel vom kirchlichen Landleben mit. Ich ließ mich von Nachbarkindern oder Mitschülern ebenfalls zu Gottesdiensten mitnehmen und nahm auch an der Beerdigung einer Großmutter in der Nachbarschaft teil, die ich in ihrem Zimmer zwischen Kerzen aufgebahrt gesehen hatte. Unter all diesen Eindrücken keimte in mir zum ersten Mal der Wunsch nach einer Konversion in die katholische Kirche auf. Als ich meine Mutter „um Erlaubnis" bat zu konvertieren, meinte sie verständlicherweise, ich sollte diesen gewichtigen Schritt nicht übereilen, sondern noch zwei Jahre warten; danach könnte man diesen Wunsch ja immer noch erfüllen. Meine religiösen Anmutungen hielten tatsächlich nicht lange vor. Fünf Jahre später aber, nicht lange nach dem Tod meines Großvaters, flammte in dem Siebzehnjährigen dieser Gedanke während meiner Zeit bei meiner Großmutter Katia im Kilchberger Haus nochmals kurz auf. Bis zu meiner wirklich vollzogenen Konversion im Alter von dreiundzwanzig Jahren verging dann nochmals so viel Zeit.

Mein religiöses Urerlebnis im Zusammenhang mit einer Einstudierung von Wagners Bühnenweihfestspiel *Parsifal* während der vorösterlichen Zeit im Zürcher Opernhaus habe ich in meiner Autobiografie *Achterbahn* geschildert. Darüber hinaus war jedoch mein religiöses Wissen, auf dem Hintergrund einer völlig areligiösen Erziehung, immer noch gleich Null. Meine erste Informationsquelle zu „Religion", „Christentum" oder „Jesus Christus" war die Brockhaus-Enzyklopädie. Nach anfänglichen Recherchen tastete ich mich aus eigenen Stücken notdürftig weiter vor, bis schließlich hin zum Konvertitenunterricht bei einem älteren Jesuitenpater in Zürich, einem mit C. G. Jung befreundeten Theologen und Tiefenpsychologen. Dieser versah mich als erstes mit einem klassischen Katechismus und einer katholischen Ausgabe des Neuen Testaments. Monatelang verheimlichte ich allen meinen Verwandten, auch meiner Großmutter Katia, bei der ich lebte, diese seelsorgerlich angeleitete, intensive Vorbereitung auf meine geplante römisch-katholische Taufe.

Denn diese Taufe war, wie sich nun herausstellte, eine Voraussetzung für meinen Eintritt in die katholische Kirche: Die unitarische Taufhandlung wurde dort, wie ich jetzt durch Heinrich Detering gelernt habe, genauso wenig anerkannt wie beim protestantischen Dachverband des *Federal Council of Churches of America*, die die

Unitarische Kirche von der Mitgliedschaft ausschloss. Umso überraschter, ja fast bestürzt reagierte meine Großmutter, als sie mich, relativ kurz vor meinem Studienwechsel nach Rom und meiner dort vorgesehenen Taufe, einmal beim Studium des Neuen Testaments „erwischte". „Sowas liest du?", fragte sie mit großen Augen, um dann zu erklären, dass ihr diese Welt sehr fremd sei, obwohl es durchaus einige im Freundeskreis der Familie gäbe, die sich „intensiv mit diesen Dingen beschäftigten". Meinen etwa acht Jahre zuvor verstorbenen Großvater erwähnte sie in diesem Zusammenhang mit keinem Wort. Aber es beeindruckte sie sichtlich, dass ich mich so selbstständig „mit diesen Dingen" auseinandersetzte.

Es wäre ein Leichtes gewesen, mir während der Hinwendung zum Religiösen über Konversion und Taufe mit Anfang Zwanzig aus dem Werk Thomas Manns ein Bild über dessen Verhältnis zur Religion zu machen. Aber genau darauf verzichtete ich, weil ich meine Konversion auch als eine Flucht aus der Familie empfand, hinein in die geistliche Weltgemeinde der römisch-katholischen Kirche. Maßgeblich für meine Entscheidung war der neue Aufbruch dieser Kirche mit der ökumenischen Bewegung und dem *aggiornamento* des Zweiten Vatikanischen Konzils unter Papst Johannes XXIII. während der frühen Sechziger Jahre gewesen. Als ich Jahrzehnte später dann die Werke Thomas Manns las, oft erst jetzt zum ersten Mal, da interessierten mich die religiösen Aspekte dieser Werke nicht mehr. Denn am Ende meines Theologiestudiums hatte ich mich in meiner Enttäuschung über die weitere Entwicklung der katholischen Kirche so weit von ihr entfernt, dass dies alles kein wichtiges Thema mehr für mich war. Meine Arbeit später als Psychologe in einem psychiatrischen Krankenhaus mit psychisch Schwerkranken und dann mit krebskranken Kindern auf einer onkologischen Klinikstation interpretierte ich nachträglich als einen sich wie ein roter Faden die Jahrzehnte durchziehenden Ausdruck einer nicht mehr religiösen, sondern nun entschieden humanistischen Einstellung, auch wenn ich bei dieser Arbeit oft sehr bewusst mit Extremsituationen an der Grenze zu den Letzten Dingen konfrontiert wurde.

Auch dass ich als Vierzigjähriger in Klaus Manns *Der Wendepunkt* nachlesen konnte, dass mein Onkel während seiner Zeit in der amerikanischen Armee im Krieg in Gesprächen mit dem katholischen Feldgeistlichen ernsthaft, aber nicht nachhaltig erwogen hatte, in die katholische Kirche überzutreten, empfand ich allenfalls als eine interessante Parallele zu meinem eigenen Weg. Noch weniger erkannte ich weitere gut zehn Jahre später die Zusammenhänge zwischen dem (mir damals halb verborgen gebliebenen) Eintritt meines Sohnes Stefan bei den Quäkern – im selben Alter, in dem ich in die katholische Kirche eingetreten war! – und dem gemeinsamen, wie sich herausstellte: auch im Unitarismus wurzelnden „geistlichen Erbe" unseres Groß- bzw. Urgroßvaters. Dies änderte sich, nachdem ich bereits um die Jahrtausendwende einen Weg zurück zum religiösen bzw. zu einem neuen religionsübergreifenden Denken gefunden hatte und ich mir über Hans Küngs erwähnten Aufsatz erste Einblicke in Thomas Manns Verhältnis zur Religion im Allgemeinen und zum Unitarismus im Besonderen verschaffen konnte. Entschieden bestätigt fand ich die Parallelen zwischen den Generationen gerade in der Frage der Religion in Heinrich Deterings Manuskript.

Jetzt standen mir die komplexen Zusammenhänge endlich klar vor Augen: die Zusammenhänge zwischen Thomas Manns später vergessener oder verschwiegener Verbindung zum Unitarismus, Klaus Manns abgebrochenem Vorstoß zu einer Konversion, meiner eigenen unitarischen Taufe und Hinwendung zu Religion und Kirche und dem Eintritt meines Sohnes Stefan bei den Quäkern. Gleichzeitig aber wirft Deterings Buch auch noch einmal die Frage auf, inwiefern Thomas Manns Hinwendung zu der betont humanistisch diesseitig und naturphilosophisch-pantheistisch und nur sehr weitläufig christlich orientierten Unitarischen Kirche kompatibel war mit seiner fortdauernd betonten christlichen Ausrichtung, mit seiner zeitlebens prägenden lutherischen Herkunft und seinem späten Interesse an der katholischen Kirche.

Wie der Theologe und Literaturwissenschaftler Karl-Josef Kuschel in seinem Aufsatz *Lob der Gnade – Lob der Vergänglichkeit. Zum doppelten Ausgang des Werkes von Thomas Mann* hervorhebt, wechseln sich in Thomas Manns späteren Romanen, Essays, Ansprachen und Briefen zwei denkerisch unverbundene, wechselnd zum Ausdruck gebrachte Hauptmotive als parallel verlaufende Stränge gegenseitig ab: Zum einen das Festhalten an der Hoffnung auf eine Gnade (wie im *Doktor Faustus*, der Legende vom *Erwählten* und schließlich in der *Ansprache an die Hamburger Studenten* von 1953), die manchmal apersonal als „Macht" (so in *Meine Zeit* 1950), manchmal personal verstanden wird (wie in der *Ansprache an die Hamburger Studenten*) – zum anderen eine deutliche Betonung des Diesseitigen, des episodenhaften Charakters des Lebens als „Zwischenfall" in der Einheit des Kosmos; man denke an Felix Krulls Speisewagengespräch mit Professor Kuckuck oder den späten Essay *Lob der Vergänglichkeit*. Als Schriftsteller spricht Thomas Mann entweder von der Gnade oder vom Lob der Vergänglichkeit, aber nie von beidem gleichzeitig. Und wo ein Hinweis auf die Transzendenz auftaucht, geschieht das ohne weitere kategorial-begriffliche Ausdeutungen. Ferner beschränkt sich jedes Reden Thomas Manns über Christlichkeit, solange der Schriftsteller in Europa lebt, ganz auf sein Werk, ohne den Ansatz eines praktisch kirchlichen Engagements in einer der europäischen Religionsgemeinschaften. Ganz anders im amerikanischen, im kalifornischen Exil. Hier äußert sich Thomas Manns Überzeugung an der Schnittstelle zwischen Humanismus und Religion zum überhaupt ersten Mal über das Schriftstellerische hinaus auch praktisch in seiner aktiven und engagierten Mitwirkung in einer Kirche, im Gemeindeleben und in den Riten von Taufe und Beerdigung. Hier schlägt sich Thomas Manns Überzeugung von der Bedeutung dieser Kirche für ihn in seinen persönlichen, auch schriftlichen Zeugnissen explizit nieder (in Briefen, Tagebuchnotizen, Ansprachen). So erscheinen Humanität und Christlichkeit, trotz allen Unterschieden der wechselnden Gewichtungen, weniger als komplementäre denn als zusammengehörige Größen. Im Kontext von Thomas Manns Beziehung zur Unitarischen Kirche erscheint mir Heinrich Deterings Versuch einer Antwort auf die Frage nach der Vereinbarkeit dieser verwirrenden Zweiheit durchaus überzeugend: Es handelt sich für Thomas Mann nicht um ein Entweder-Oder, sondern um eine offene, universale Synthese.

Persönlich erblicke ich in der Hinwendung Thomas Manns zur Unitarischen Kirche und in meiner durch ihn veranlassten unitarischen Taufe nicht nur einen gewissermaßen stillschweigend erteilten „Auftrag" an mich und an meine Nachkommen, die Realisierung religiöser Überzeugungen und ethischer Grundwerte in seinem Sinne in irgendeiner Weise fortzusetzen. Die unbewusste unitarische Prägung in meinem Geburtsland USA ist wohl doch stärker gewesen als das im engeren Sinne christliche Gedankengut, mit dem ich später in Berührung kam. Jedenfalls hat sie mir etwas sehr Spezifisches hinterlassen: nämlich die Grundhaltung einer von Toleranz, Dialogbereitschaft und einem demokratisch-gleichberechtigten Pluralismus bestimmten, religionsübergreifenden Sinn- und Werteorientierung, eine daraus erwachsende Ehrfurcht und ein Gefühl der Verantwortung für alles Leben auf unserer Erde und für alles Sein, auch in den verstandesmäßig nicht mehr begreifbaren Dimensionen unseres Kosmos. Diese Grundhaltung habe ich gemeinsam mit Freunden in politischen und kulturellen Projekten praktisch zum Ausdruck zu bringen versucht.

In seiner unitarischen Kanzelrede 1951 formuliert Thomas Mann die angestrebte Synthese von Humanismus und Religion, von Natur und Übernatur, Diesseits und Jenseits, Pantheismus und Christentum, von Schöpfung und Erlösung aus seinem lebenspraktischen Umgang mit Religion und Kirche im amerikanischen Exil heraus:

> Today, more urgently, perhaps, than ever before, what is needed, is applied religion, applied Christianity, or, if you prefer, a new, religiously-tainted humanism, aggressively bent on bettering man's status and condition on earth, while, at the same time, honoring, and bowing in reverence to, the secret which lies at the bottom of all human existence, and which must and will never be lifted, – for it is holy.

Diese Sätze sind nicht nur von historischem Interesse, sondern können zum Nachdenken anleiten über den eigenen persönlichen Standort in der Frage einer religiösen, humanen, existenziellen Sinnfindung.

Religion und die Amerikanische Linke: Eine Tradition prägender Begegnungen

Dan McKanan

Mehr als zwei Jahrhunderte lang standen religiöse Menschen im Vordergrund der gesellschaftlichen Bewegungen sozialen Wandels in Amerika. Weiße Unitarier, Quäker und die Erweckungsbewegung arbeiteten Seite an Seite mit afroamerikanischen Methodisten und Baptisten im Kampf gegen die Sklaverei. Führende Mitglieder der Arbeiterbewegung des 19. Jahrhunderts schärften ihre Redegewandtheit in Kirchen der Universalisten und in Freidenkergemeinden. Sozialisten proklamierten am Anfang des 20. Jahrhunderts, Jesus sei Sozialist gewesen wie sie. Die hinduistische Lehre Mahatma Gandhis inspirierte die Menschen, die der Rassentrennung im amerikanischen Süden ein Ende machten, ebenso wie Gläubige der römisch-katholischen Kirche. Dorothy Day, Gründerin der katholischen Arbeiterbewegung Amerikas, und der katholische Schriftsteller und Mystiker Thomas Merton vermittelten den Gegnern des Vietnamkriegs eine pazifistische Spiritualität. Diese lange Tradition lebt heute in der *Occupy*-Bewegung weiter, die regelmäßig öffentliche Gottesdienste und private Meditationen abhält. Dasselbe zeigte sich anlässlich der Generalversammlung der *Unitarian Universalist Association* 2012, während der Tausende Unitarische Universalisten vor einer Haftanstalt für die Rechte von Immigranten ohne Ausweispapiere demonstrierten – und erklärten, ihr religiöser Glaube verpflichte sie, „auf der Seite der Liebe zu stehen".

Dieser Beitrag untersucht einige der überraschenden Geschichten aus den Beziehungen zwischen Religion und der amerikanischen Linken. Umstände, die sich allein in den Vereinigten Staaten entwickelten, wie die landesweite Übernahme der

Religionsfreiheit, machten es für Gläubige einfacher, den sozialen Wandel in den Vereinigten Staaten weiter voranzutreiben als in vielen anderen westlichen Gesellschaften. Als Konsequenz entdeckte die Linke andererseits eine Wahrheit, die auch in jeder anderen Kultur erlebt wird: Wenn Menschen in inniger Begegnung aufeinander treffen, erfahren sie in ihrem Mühen um Freiheit, Gleichheit und Brüderlichkeit einen flüchtigen Blick auf das Göttliche, der ihnen die Kraft gibt, beides zu verändern – sich selbst und ihre Welt.

Ich freue mich sehr über die Möglichkeit, Ihnen etwas über Religion und die Tradition der amerikanischen Radikalen erzählen zu können. Dieses Thema ist resümiert in der Überschrift meines Buches *Prophetic Encounters*: „Prophetische Begegnungen: Religion und die Tradition der amerikanischen Radikalen".[1] Das Buch umfasst zweihundert Jahre Geschichte und erforscht den gegenseitigen Einfluss von Religion und solchen Formen sozialer und politischer Tätigkeiten, die als ‚radikal' oder ‚links' gelten. *Prophetic Encounters* untersucht den Sozialismus in seinen beiden Formen, sowohl als utopische als auch als politische Phasen, Arbeiterbewegung, Kampf gegen Sklaverei und um volle politische Rechte für die Nachfahren der Sklaven, die Frauenrechtsbewegung und die Friedensbewegung. Ich behaupte, dass Religion einen wesentlichen Beitrag zu all diesen gesellschaftlichen Bewegungen geliefert hat.

Dieser Vortrag ist für mich die erste Gelegenheit, diesen Teil der Geschichte mit einem europäischen Publikum zu teilen, und ich bin sehr gespannt darauf, Ihre Reaktionen zu hören. Ich vermute, dass einige von Ihnen von der Idee überrascht sein werden, dass Religion ein wichtiger Teil der amerikanischen Linken ist. Sogar in den USA – das ist eine erstaunliche Vorstellung. Weil in Europa Sozialisten und andere linksorientierte Bewegungen eine stärkere Unterstützung erfahren als in den USA, stelle ich mir vor, dass viele Europäer Religion und Sozialismus eher als so etwas wie natürliche Feinde wahrnehmen. Ich verfüge nicht über das Fachwissen, um sagen zu können, ob diese Wahrnehmung tatsächlich für Europa gilt. Aber ich hoffe, Sie überzeugen zu können, dass die Dinge in Amerika nicht so einfach sind. Sehr gerne möchte erfahren, ob Sie meinen, dass mein Beitrag ein neues Licht auf die Geschichte der Linken auch in Europa wirft oder eher nicht.

Ich sollte damit beginnen, mein Argument zu formulieren und die wichtigsten Begriffe zu bestimmen. Meine zentrale Behauptung lautet, dass Religion ein fester Bestandteil aller linksgerichteten Bewegungen in Amerika ist, bis hin zu dem Punkt, dass man die Linke nicht wirklich verstehen kann, ohne die religiöse Dimension zu berücksichtigen. Ich benutze die Ausdrücke ‚links' und ‚amerikanische radikale Tradition', um einen Bezug zu Bewegungen herzustellen, welche die revolutionären Werte von Freiheit, Gleichheit und Brüderlichkeit auf mehr und mehr Personen ausweiten wollen. In Amerika umfassen die wichtigsten dieser Bewegungen die Arbeiterbewegung, Sozialismus, Frauenrechte, Widerstand gegen Sklaverei und gegen Rassismus, die Friedensbewegung. Mit dem Begriff ‚Religion' beziehe

---

[1] Dan McKanan: *Prophetic Encounters: Religion and the American Radical Tradition*. Boston, Mass. 2011.

ich mich auf Organisationen, Überzeugungen und Praktiken, die konventionell als solche bezeichnet werden. Das umfasst christliche Gemeinden des amerikanischen *mainstream*, aber auch Weltreligionen, die von Immigranten nach Amerika gebracht wurden, sowie alternative spirituelle Traditionen wie etwa die Theosophie oder Formen eines Neopaganismus.

Ich behaupte, dass es eine feste Verbindung zwischen der Religion und der Linken gibt – aber ich behaupte nicht, dass diese Verbindung einzigartig ist. Andere soziopolitische Bewegungen mögen ebenfalls intensive Bindungen zur Religion haben. Es ist weithin anerkannt, dass viele der größten und sichtbarsten Organisationen in Amerika sehr konservative soziale Grundsätze vertreten. Diese Gruppen, wie z.B. die *Southern Baptist Convention*, lehnen die Homosexuellen-Ehe und Abtreibungsrechte ab; in vielen Fällen lehnen sie auch staatliche Sozialhilfe ab, mit der Begründung, dass menschliche Grundbedürfnisse besser über private Spenden finanziert werden. In der Vergangenheit unterstützten einige amerikanische Kirchen den intoleranten Antikommunismus aus der Ära des Kalten Krieges, einige unterstützten die Sklaverei oder mobilisierten Kräfte gegen das Wahlrecht von Frauen. Ich möchte nichts davon herunterspielen. Ebenso wenig möchte ich – wie einige religiöse Linke es taten – vorschlagen, dass eine radikale Religion ‚authentischer‘ religiös sei als eine konservative Religion. Obwohl ich mich persönlich zur Linken bekenne, glaube ich, dass die meisten religiösen Texte und Traditionen zu komplex und mehrdeutig sind, als dass sie das Eigentum einer einzigen Ideologie darstellen könnten.

Wenn ich behaupte, dass es eine feste Verbindung zwischen der Religion und der Linken gibt, verneine ich auch nicht die Existenz von Konflikten zwischen Religion und Radikalismus. Die meisten Führungspersönlichkeiten radikaler Bewegungen in Amerika haben mindestens einige religiöse Organisationen und Ideen scharf kritisiert, und mehr als nur ein paar Radikale haben die Religion als solche verurteilt mit dem Argument, sie stelle das Haupthindernis für eine weitere menschliche Entwicklung dar. Ich habe nicht die Absicht, die Existenz antiklerikaler linker Haltungen zu bestreiten, und ich will sie nicht in jedem Fall verurteilen. Antiklerikale und antireligiöse Haltungen mögen unter manchen Umständen als wohltuend bezeichnet werden. Aber die antiklerikale Einstellung selbst kann nur im Zusammenhang der vielschichtigen Beziehung zwischen der Religion und der Linken verstanden werden.

In Amerika betrachten sich einige der schärfsten Kritiker der Mainstream-Kirchen als authentischere Christen, als es nach ihrer Ansicht die Mitglieder dieser Kirchen sind. Einige waren Anhänger neuer religiöser Bewegungen, so etwa der Spiritualismus im 19. Jahrhundert oder manche Formen des Neopaganismus im 20. Jahrhundert. Einige dieser Leute waren früher selbst Pfarrer; andere spendeten für sonntägliche Versammlungen, in denen sie mit ihren Anhängern zusammen Lieder singen und Predigten über die Gefahren organisierter Religion hören wollten.

Es gibt eine feste Beziehung zwischen der Religion und der Linken zum einen einfach deshalb, weil Religion ein fester Bestandteil der menschlichen Erfahrung überhaupt ist. Man kann die Linke nicht verstehen, ohne auch die Religion zu berücksichtigen, weil man die Linke nicht verstehen kann, ohne auch ihre menschliche Komplexität zu berücksichtigen. Ich könnte auch behaupten, Kunst und Literatur seien so sehr Bestandteil der Linken, dass man sie losgelöst von ihren künstlerischen und literarischen Ausdrucksweisen nicht verstehen könne. Doch ich bestehe darauf – in Bezug auf Religion, aber auch auf Kunst und Literatur –, dass Linke und religiöse Bekenntnisse in einer Person nicht einfach nur nebeneinander existieren können, so wie man etwa neben seinem politischen und sozialen Engagement auch Kriminalromane lesen oder den lokalen Sportverein unterstützen mag. Die meisten linken, religiösen und radikalen Bekenntnisse und Erfahrungen sind ineinander verschlungen und miteinander verflochten, jedes prägt und verändert das jeweils andere. Meine Aufgabe im erwähnten Buch war es, die Muster der gegenseitigen Beeinflussung und Veränderung zu erklären.

Mein Buch nannte ich *Prophetische Begegnungen*, weil mein zentrales Interpretationselement die *Begegnung* zwischen Menschen ist. Ich glaube, dass alle radikalen Bewegungen mit einer Begegnung beginnen. Wenn Menschen sich auf einer tiefen Ebene begegnen, werden sie dazu inspiriert, zusammenzuarbeiten, um die menschliche Freiheit, Gleichheit und Brüderlichkeit auszuweiten. Solche Begegnungen haben dieselbe Art von Macht wie religiöse Offenbarungen: Sie schenken den Menschen, die sie erfahren, neue Identitäten, neue Wege, die Welt zu verstehen, und die Kraft, einen Wandel in die Welt zu bringen. Religiöse Erfahrungen, in denen es um Begegnungen mit anderen Menschen oder mit Heiligen oder mit übernatürlichen Wesen geht, haben dieselbe Wirkung. Für einige Linke, Religiöse und Radikale verstärken beide Arten von Begegnungen sich untereinander. So war es auch für Dorothy Day, eine Sozialistin in den frühen 1920er Jahren, deren Hingabe an die „Massen" der Arbeiter in amerikanischen Städten sie dazu brachte, den Glauben der meisten dieser Arbeiter zu ihrem eigenen zu machen: den römischen Katholizismus.

Andere Linke sehen das Linke selbst als die eigentliche und wahre Religion an; konventionelle Religiosität ist im Vergleich dazu nur ein blasser Schatten. So war es bei Dorothy Days Zeitgenossinnen Grace Hutchins und Anna Rochester. Diese Frauen waren protestantische Missionarinnen, die zunächst versuchten, „eine Lösung für unsere drängendsten Probleme" im „Geist und in der Erfahrung von Jesus Christus" zu finden, und die dann zu Kommunistinnen wurden. Ihre Konversion zum Kommunismus wurde nicht zuletzt durch eine Literatur angeregt, die den Kommunismus als das wahre Christentum darstellte, die „einen dornenreichen Weg beschritt, um einer weit vor uns liegenden Vision zu folgen."

Andere Linke wiederum änderten mehrfach die Weise, in der sie die Verbindung zwischen Religion und Radikalismus zu verstehen suchten. A. J. Muste begann seine radikale Karriere als junger protestantischer Pfarrer, der gegen den Ersten Weltkrieg war und deswegen von seiner Kanzel vertrieben wurde. Er setzte seine Arbeit als Gewerkschafter fort, gründete nebenbei eine politische marxistische Partei, die den Trotzkisten nahestand. Doch während eines Besuchs in Europa, wo er Leo Trotzki treffen wollte, besuchte er eine Kathedrale, in der er mystische Visionen erfuhr, die ihn zu seinen Wurzeln im christlichen Pazifismus zurückführten. Diese Vision bestimmte seine folgende Laufbahn als „Amerikas erster Pazifist" in den Jahren zwischen dem Ersten Weltkrieg und dem Vietnam-Krieg.

Ich gliedere *Prophetische Begegnungen* um drei eindeutige Arten der Begegnung herum. Die erste, die ich „Begegnung der Identität" nenne, findet statt, wenn Menschen ohne institutionalisierte Autorität ihre eigene Macht dadurch entdecken, dass sie zusammenkommen, um Geschichten teilen und für sich selbst eine neue Identität geltend zu machen. In Amerika wird hierbei oft von einer „Bewusstseinserweckung" gesprochen, und sie wird typischerweise mit den radikalen Bewegungen in den 1960er und 1970er Jahren assoziiert, etwa dem Feminismus oder der homosexuellen Emanzipation. Ich habe vergleichbare Praktiken einer „Bewusstseinserweckung" bereits in den 1820ern gefunden, sowohl in der traditionellen Arbeiterbewegung als auch unter afrikanischen Amerikanern, die gegen die Sklaverei kämpften. Ich betrachte die „Begegnung der Identität", die „Bewusstseinserweckung", als die Hauptquelle für eine radikale Energie in jeglicher Ära.

Richard Allen und andere afroamerikanische Methodisten machten die Erfahrung einer derartigen Begegnung in der Kirche Saint George in Philadelphia zu Anfang des 19. Jahrhunderts. Als sie zum Gebet niederknieten, zwangen weiße Diakone sie aufzustehen und forderten sie auf, ihr Gebet in einem abgelegenen Außengang zu verrichten. Stattdessen verließen sie die Kirche. Als sie ihre eigene Gemeinde und Glaubensgemeinschaft gründeten, beanspruchten sie eine neue Identität: eine afrikanische. Der zentrale Punkt dieses Anspruches war nicht separatistisch. Die afrikanischen Methodisten wussten, dass auch sie amerikanisch waren. Sie hatten ebenso lange in Nordamerika gelebt wie ihre weißen Nachbarn, und sie hatten genauso hart für die Unabhängigkeit von Großbritannien gekämpft. Aber die Bezeichnung ‚afrikanisch' signalisierte die gemeinsamen Wurzeln und eine tiefe Seelenverwandtschaft zwischen den freien Afroamerikanern in Philadelphia und den versklavten Gemeinden des Südens. Sehr bald sprachen sie sich gegen alle Pläne aus, befreite Sklaven nach Afrika zurückzuschicken. „Wir werden uns niemals freiwillig von der versklavten Bevölkerung dieses Landes trennen; sie sind unsere Brüder." Ihr Kampf um eine vollständige Teilhabe an der Gesellschaft Amerikas eröffnete den ein halbes Jahrhundert dauernden Kampf gegen Sklaverei und Rassismus.

Etwa zur gleichen Zeit kamen Arbeiter aus vielen unterschiedlichen Gewerben zusammen, um über die wachsende wirtschaftliche Ungleichheit zu diskutieren. Als einige wenige führende Arbeiter sich mit den kapitalistischen Investoren zusammentaten und Fabriken bauten, sahen die Handwerker ihre eigenen Chancen bedroht. In der Geburtsstunde der amerikanischen Revolution machte dies einen besonders unfairen Eindruck: War es nicht das Ziel der Demokratie, all diesen Leuten mehr Macht zu verleihen? Arbeiter versammelten sich in der Glaubensgemeinschaft der Universalisten in Philadelphia, Quäker-Gesellschaften in Wilmington, Methodistenkreise in Baltimore, in Gruppen von Freidenkern an vielen Orten. Genau wie ihre afrikanischen Schwestern und Brüder forderten diese Arbeiter eine neue Identität für sich und eine vollwertige Teilhabe an Amerikas demokratischem Erbe. Der Universalist und Schuhmacher William Heighton ermutigte andere Arbeiter, darüber zu reden, wie sie unter der Übermacht der Reichen ihre demokratisch legitimierte Stimme im politischen Prozess verlören. „Arbeiter", so erklärte er, „sollten ausschließlich andere Arbeiter wählen." Sie waren die ersten, die Amerikas Wirklichkeit in Begriffen des Klassengedankens deuteten, und sie waren die ersten in der Welt, die klassenbewusste politische Parteien organisierten.

Die Arbeiterpartei revolutionierte die Politik in Philadelphia, New York und anderen Städten für kurze Zeit. Einige ihrer Forderungen, wie kostenlose öffentliche Schulen, wurden von der Mehrheit der anderen Parteien akzeptiert. Aber beide, sie und die afrikanischen Methodisten, hatten nur begrenzten Einfluss, solange sie keine stärker privilegierten Verbündeten hatten. Eine zweite Art „prophetischer Begegnungen" war nun erforderlich, um die radikalen Impulse auf mehr privilegierte Individuen auszuweiten. Diese „persönlichen Begegnungen" fanden statt, als die Privilegierten auf die neuen Bevollmächtigten trafen, von Angesicht zu Angesicht.

Folgendes geschah, als Frederick Douglass – der entlaufene Sklave, dessen Autobiografien dann zu Klassikern der amerikanischen Literatur wurden – den weißen Verleger William Lloyd Garrison traf: Als er Douglass seine Geschichte vom Kampf für die Freiheit erzählen hörte, berichtete Garrison, dass er nie zuvor die „gottgleiche Natur" der Sklavereiopfer so deutlich erkannt hätte. Für Garrison war die Begegnung mit Douglass wie eine Begegnung mit Gott, und er realisierte, dass andere weiße Amerikaner für die Sache der Sklavereigegner gewonnen werden konnten, wenn sie nur Douglass sprechen hören könnten. Das gleiche geschah, als afroamerikanische und weiße Frauen anfingen, Fürbitte für versklavte Personen zu halten, und damit ein starkes kulturelles Tabu im öffentlichen Reden von Frauen brachen. Indem sie es brachen, zwangen sie die Männer dazu, sich auch mit dem vollgültigen Menschsein dieser Frauen auseinanderzusetzen. Diese persönlichen Begegnungen funktionierten, weil das Ablegen eines individuellen Zeugnisses, eines Einspruchs oder Protests bereits protestantische Praxis war, konstitutiv für diese Konfession. Sie ermöglichten die Entwicklung hin zu einer radikalen Theologie, die sich im Wesentlichen auf die Vorstellung stützte, dass jeder Mensch das Bild Gottes spiegelt.

Fast ein Jahrhundert später bezeugte Dorothy Day eine dritte Art prophetischer Begegnungen, als sie den Idealismus beschrieb, der sie zum Sozialismus und zum römischen Katholizismus brachte. Die Sozialisten erblickten im Kollektiv der „Armen und Unterdrückten" den neuen Messias. Diese Auffassung inspirierte Day, die katholischen Kirchen zu besuchen, die für die armen Einwanderer ihrer Tage die religiöse Heimat waren. Nach ihrer Konversion gründete sie eine Bewegung, die eine Mobilisierung der armen Katholiken anstrebte, um sich für eine neue Gesellschaft einzusetzen. Days Hingabe für die gesamte Gemeinde der Armen – nicht nur exemplarisch für einzelne Individuen – war eine Folge der Massengesellschaft, die im Rahmen der Verstädterung und Industrialisierung entstanden war.

Um all die Armen zu treffen, konzipierten und errichteten die neuen Radikalen „Siedlungshäuser" in städtischer Nachbarschaft. Sie entwarfen eine Theologie, die „Sünde" und „Erlösung" als gesellschaftliche Begriffe verstand, so dass die Aufstellung einer neuen Gesellschaft mit dem christlichen Versprechen einer Königsherrschaft Gottes gleichgesetzt wurde. Einige strebten den Aufbau einer Art *Commonwealth* an, die sie einer eschatologischen Königsherrschaft Gottes vorzogen. Wie die persönlichen Begegnungen der Gegner der Sklaverei erhielten die kollektiven Begegnungen ihre Kraft letztlich aus der „Begegnung der Identität". Die Arbeiter waren bereits dabei, sich in Gewerkschaften selbst zu organisieren, in den *Industrial Workers of the World* oder in der Sozialistischen Partei.

Die Kraft der Identitätsbegegnungen blieb bis zur Mitte des 20. Jahrhunderts für die meisten Amerikaner der Mittelschicht unbemerkt. Die Dinge änderten sich mit der Erfindung des Fernsehers und dem Aufkommen einer neuen Bewegung, die die Rassentrennung in den Südstaaten beendete. Als afroamerikanische Bewohner von Montgomery (Alabama) einen Boykott organisierten, um die Rassentrennung in städtischen Bussen zu beenden, und als Studenten afroamerikanischer Hochschulen begannen, im ganzen Land auch rassengetrennte Restaurants zu besuchen, waren ihre Aktionen sichtbar für alle Amerikaner. Und alle Amerikaner konnten sehen, wie diese Unterdrückten sich selbst Macht verschafften, indem sie sich zusammentaten. Bald hielten auch andere Gruppen wie Hochschulstudenten, die sich wegen der zunehmenden Militarisierung sorgten, Feministen, Schwule und Lesben, Latinos, amerikanische Indianer, ihre jeweils eigenen bewusstseinserweckenden Treffen ab und gingen über zur politischen Aktion. Diese „Begegnungen der Identität" ermöglichten auch das Entstehen neuer Formen von Religionsgemeinschaften, einschließlich neopaganer Gemeinden, die sich beispielsweise der Anbetung einer Göttin verschrieben, und unterschiedliche Formen liberaler christlicher Theologie.

Diese drei Arten von Begegnungen, jede mit den anderen verbunden, bilden eine einzige, fortgesetzte Tradition des amerikanischen Radikalismus – und nicht nur eine Ansammlung von sich selbst genügenden „Bewegungen", die auf bestimmte Zeiten und bestimmte Orte beschränkt blieben. In jeder Generation bildeten junge und alte Aktivisten Verbände und wurden inspiriert durch das Gegenüber. Mit anderen Worten: Der amerikanische Radikalismus ist eine Familientradition. Wie in den meisten Familien geht es nicht immer harmonisch zu, und viele der Kämpfe, die auszufechten waren, hatten irgendwie mit Religion zu tun. Freidenker und Marxisten tendieren dazu, die Mainstream-Religion als Teil des Problems zu sehen. Protestanten und Katholiken wiederum betrachten religiöse Institutionen als eine Kraftquelle.

Aber dieser Wettkampf unter Geschwistern entspringt einer prophetischen Begegnung. All diese „Radikalen" haben das Göttliche im jeweiligen Gegenüber gesehen, und darum sind ihre Erfahrungen als Radikale religiösen Erfahrungen sehr ähnlich. In radikalen Bewegungen wie in der Kirche bringen Menschen ihre tägliche Routine in Beziehung zu einer größeren geistigen Vision vom Himmel, von Erlösung, von einer neuen Gesellschaft.

Wie es bei Geschwistern eben geschieht, sind konventionelle Religion und Radikalismus oft ungleich. Während Radikale danach streben, auf eine bessere Welt hin zu leben und zu wirken, die es möglicherweise in der Zukunft hier auf der Erde geben könnte, richten viele Gläubige ihr Leben auf eine Realität jenseits dieser Welt aus. Während Radikale erstarkende Identitäten durch Begegnungen mit anderen Menschen erreichen, bieten viele Religionen neue Identitäten durch die Begegnung mit geistigen Wesen an. Einige Radikale finden ihre religiösen und radikalen Bekenntnisse in der gegenseitigen Stärkung; andere gelangen dahin, ihr Anliegen als wahre Kirche zu betrachten.

Diese Unterscheidung zwischen Radikalen, die eine Unterstützung durch die Mainstream-Religion erfahren, und jenen, die den Radikalismus selbst als ihre eigentliche Religion betrachten, bringt mich zurück zu der Frage, ob von dieser amerikanischen Geschichte aus ein verändertes Licht auch auf die europäische Linke fallen kann. Wenn Religiosität mehr oder weniger ein beständiger Aspekt der menschlichen Erfahrung ist, dann muss es eine Art Berührungspunkt zwischen der Religion und dem soziopolitischen Engagement der Linken auch in Europa geben. Aber man wird schwerlich behaupten, dass das europäische Muster dem amerikanischen entspricht. Es kann z.B. sein, dass die Zahl der amerikanischen Linken, die ihr Engagement und die Religion als gegenseitige Kraftquellen betrachten, etwa so groß ist wie derjenigen, die genau das ausschließen – während in Europa die große Mehrheit sie als sich ausschließend betrachtet. Eine solche Unterscheidung zeigt sich offensichtlich etwa in der Beziehung zwischen Immigranten und in Amerika geborenen Sozialisten.

Anfang 1848, als nach der missglückten Revolution Marxisten und andere deutsche Radikale Zuflucht in Amerika suchten, waren sozialistische Immigranten erstaunt über die intensive Religiosität ihrer dort geborenen Verbündeten. Typischerweise organisierten die Immigranten den Parteiapparat, wählten aber als Kandidaten am Ort geborene Pfarrer und andere, die bereit waren, Jesus als einen weltweiten revolutionären Führer zu lobpreisen.

Ich bin sehr daran interessiert, Ihre Meinung darüber zu hören, wie groß die Unterschiede zwischen europäischer und amerikanischer Linker hier sind. Vorausgesetzt, es gibt Unterschiede: Wie lassen sie sich erklären? Ich behaupte, dass der Hauptgrund in der langen amerikanischen Tradition der Religionsfreiheit liegen wird. Die erste Ergänzung zur amerikanischen Verfassung hält fest, dass „der Kongress kein Gesetz bzgl. der Gründung einer Religion schaffen oder eine bestehende freie praktizierte [Religion] verbieten darf". Obwohl dieser Verfassungszusatz zunächst von antiklerikalen Radikalen vorgeschlagen worden war, wurde er auch von Mitgliedern minoritärer Religionsgemeinschaften unterstützt, und die meisten Historiker nehmen an, dass dies der Grundstein für das hohe religiöse Engagement in Amerika ist. Der Effekt des *First Amendment* war die Ersetzung des Monopols ‚etablierter‘ Religionen durch einen gewissermaßen freien religiösen Markt. Religiöse Unternehmer traten Anfang des 19. Jahrhunderts auf und machen bis heute weiter den traditionellen Kirchen Konkurrenz. In diesem Kontext schien es oft eher sinnvoll, seine eigene Religion zu schaffen, als in vorgegebenen Schienen gegen den religiösen Konservatismus anderer Leute zu fahren. Und das ist es, was amerikanische Radikale kontinuierlich getan haben: Sie bauen radikale christliche Gemeinschaften und Gemeinden auf und entwickelten komplett neue religiöse Bewegungen.

Es mag sein, dass auch andere Faktoren einen Beitrag zur unterschiedlichen Ausdifferenzierung von Religion und Radikalismus in Amerika und Europa geleistet haben. Es ist auch durchaus möglich, dass die Unterschiede geringer sind, als sie mir erscheinen, und dass es wichtige Bewegungen unter den europäischen Radikalen gegeben hat, die mit religiösen Traditionen eher kooperativ als kämpferisch umgegangen sind. Ich bin neugierig auf Ihre Ideen.